Opinion from Phronesis

「学び」の改革から技術と人間の共進化は始まる

三菱総合研究所 理事長｜『フロネシス』編集顧問
小宮山 宏

幾何級数的な技術の進化は、人間と社会にどのような影響を及ぼすのだろう。この問いには、概して悲観論と楽観論が入り乱れるが、「未来は創造される」という考え方に立てば、すべて正解であり、不正解でもある。未来はこうした悲観と楽観のスペクトラムの間のどこにでも着地しうる。

未来を決めるのは人間の意志と行動である。明るい未来を望むならば、そのように考え、行動しなければならない。とはいえ、技術の進化スピードはすさまじく、人間を置き去りにしていく。実際、技術の進歩は人間の都合などおかまいなしであり、ＡＩは自律学習によって人間を代替・排斥し、ＡＩが世界を管理するといったＳＦ的なシナリオも存在する。

稀代の名棋士、羽生善治氏いわく「ＡＩが進化しても人間の強みはなくならない」。将棋のＡＩは、過去の膨大な対局データに基づいて最善手を一瞬で導き出せるが、何十手も先のわずかな希望に賭けて、前例のないイノベーティブな一手を指すことはできない、という。

技術に過度に寄りかかれば、こうした人間の創造性は弱体化してしまうだろう。人間と技術の新しい関係づくりのためには、人間も進歩・進化が求められる。いわゆる共進化である。

ダーウィニズムに従えば、進化には「適応」が要求される。したがって、技術と人間の共進化には、技術の幾何級数的進歩が生み出す環境に適応できるかどうかが問われる。

言い換えると、適応とは学習にほかならない。ただし、従来のやり方ではだめだ。新しい時代は激しく変化し続ける世界である。教師と生徒のような上下関係が固定化された旧来のやり方ではうまくいかない。

多様性の重要性はいまや議論を待たないが、その力を発現させる教育システムや学習法は浸透していない。たとえば、シニア世代やミドル世代へのリカレント教育はまさしく時代の要請だが、そのためには、デジタルに明るく、時代の流れや変化への感度が高い若い世代に学ぶ「リバースメンタリング」がもっと奨励されなければならない。我々は「超教育」という考え方を提唱しているが、学びのあり方そのものを時代に適したものに改めない限り、この急激な変化に適応できないだろう。

三菱総合研究所は２０２０年9月に50周年を迎えるのを機に、50年先を見据えた研究やイニシアティブをスタートさせた。中でも、先端技術を利活用し、健康や高齢化、防災、地球温暖化、食料問題、格差や分断など、社会に山積する課題に焦点を当てている。

その青写真を描いたのが、『フロネシス』である。斯界のフロニモス（賢慮の知者）たちによって明らかにされた「技術と人間」「技術と社会」の新しい現実を踏まえながら、そこから垣間見えるパースペクティブやそのオルターナティブを紹介している。これは予測ではない。「知の構造化」の試みであり、「こうありたい」と考えることでそのような未来を創造する「予言の自己実現」を意図したものである。Ⓟ

MicroOne / Shutterstock

13番目の人類

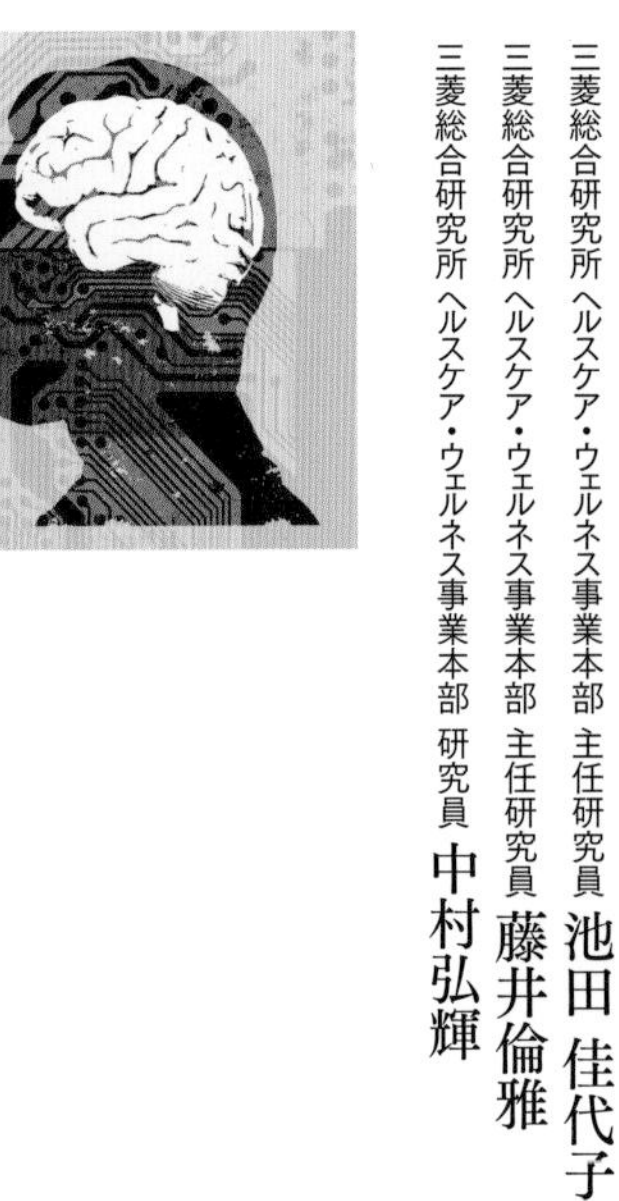

PHRONESIS

フロネシス22号 | Volume 12 Numbe

表紙イラスト：目黒ケイ

21世紀の後半には世界の人口が100億人に近づき、日本をはじめとする各国で100歳を超える人の割合が増えていく。人類史上、だれも体験したことのない時代がやってくる。この未来が豊かで持続可能な姿になるか、それとも不公平な格差と混乱のカオス状態となるか。いま、人間の叡智が問われているといっても過言ではない。そのカギを握るのが「人間・生命拡張技術」だ。脳科学、再生医療、バイオテクノロジー、AI、ロボティクス、ITなどの飛躍的な発展は、健康寿命を延ばし、老化を遅らせ、身体機能を高め、新たなコミュニケーション形態を創出するなど、人間の身体や関係性にさまざまな拡張をもたらしてきた。こうした技術は、未来の社会にどのようなインパクトを与え、どこに行き着くのか。さまざまな立場のフロネティックリーダーたちとともに、人間・生命拡張技術の現状を整理し、その先に広がる未来像を示す。

Cover Story

人間・生命拡張技術の先に新しい人類は生まれるか

三菱総合研究所
未来構想センター シニアプロデューサー
藤本敦也

Illustration｜モトムラタツヒコ

技術とともにある人類史と「パートタイム超人」願望

人類の歴史とは、すなわち技術を駆使してみずからの限界を超えてきた歴史だ。石器からハイテク機器まで、人が連綿とつくり続けてきた多種多様な道具はいまも人の能力を拡張し続け、医療は人の寿命を延ばし、自動車や飛行機などのモビリティの発達は人の行動範囲を広げ、活版印刷やインターネットといったメディアは人の知的活動の質を飛躍的に高めた。

そして現代の先端技術は、人の能力に従来なら考えられなかったような拡張をもたらそうとしている。

たとえば京都大学大学院教授で国際電気通信基礎技術研究所（ATR）の神谷之康氏らが研究する「ブレイン・デコーディング」や、本書でも紹介する慶應義塾大学教授の満倉靖恵氏の「感性アナライザ」といった「感情やイメージの可視化技術」は、人間同士の関係性に大きな影響を与える可能性がある。これらが進展すれば、頭のなかで考えたことがたちどころにビジュアル化されて他者に伝えられるようになったり、相手の感情がリアルタイムでかつ正確に把握できたりするだろう。かつてはSF的な空想でしかなかった「テレパシー」や「サトラレ」が、現実のものになろうとしているのだ。この技術が実現した時、人の知的活動が受ける影響は計り知れないだろう。

13番目の人類

一般的に、人類の進化は「猿人→原人→旧人→新人」という一つの直線でとらえられていることが多いが、それは誤りだ。実際にはそれぞれの段階でさまざまな枝分かれがあり、種を異にする人類同士が地球上で共存したり、競合したりした時期もあった。現在、結果的に現生人類「ホモ・サピエンス」だけが生き残り、ほかのすべてが絶滅してしまったにすぎないのだ。

たとえば、2003年にインドネシア、フローレス島のリアンブア洞窟で発見され、人類進化の定説を揺るがせた「ホモ・フロレシエンシス（フローレス原人）」は、ホモ・サピエンスとは別種の、そして同時期に存在していた人類の一つだ。

フローレス原人の発見者であるオーストラリアの考古学者、マイク・モーウッドは、その著書『ホモ・フロレシエンシス』（NHK出版、2008年）で、複雑に分岐した「人類の進化系統図」を示している。これを見ると、ホモ・サピエンスは最初期の猿人から数えて「12番目の人類」に当たる（図表1）。進化はいまも止まったわけではなく、この先に13番目の人類が生まれないとは限らない。こうした可能性も踏まえつつ、我々ホモ・サピエンスが、本能的にみずからの身体や生命を拡張することを望み、そのために技術を磨き、さまざまな人工物を生み出し続けている事実に注目したい。

人類の歴史を振り返れば明らかなように、人は本能的にみずからの身体や生命を拡張

2019年11月に開催された三菱総研フォーラムの様子

図表1｜**人類の進化系統図**

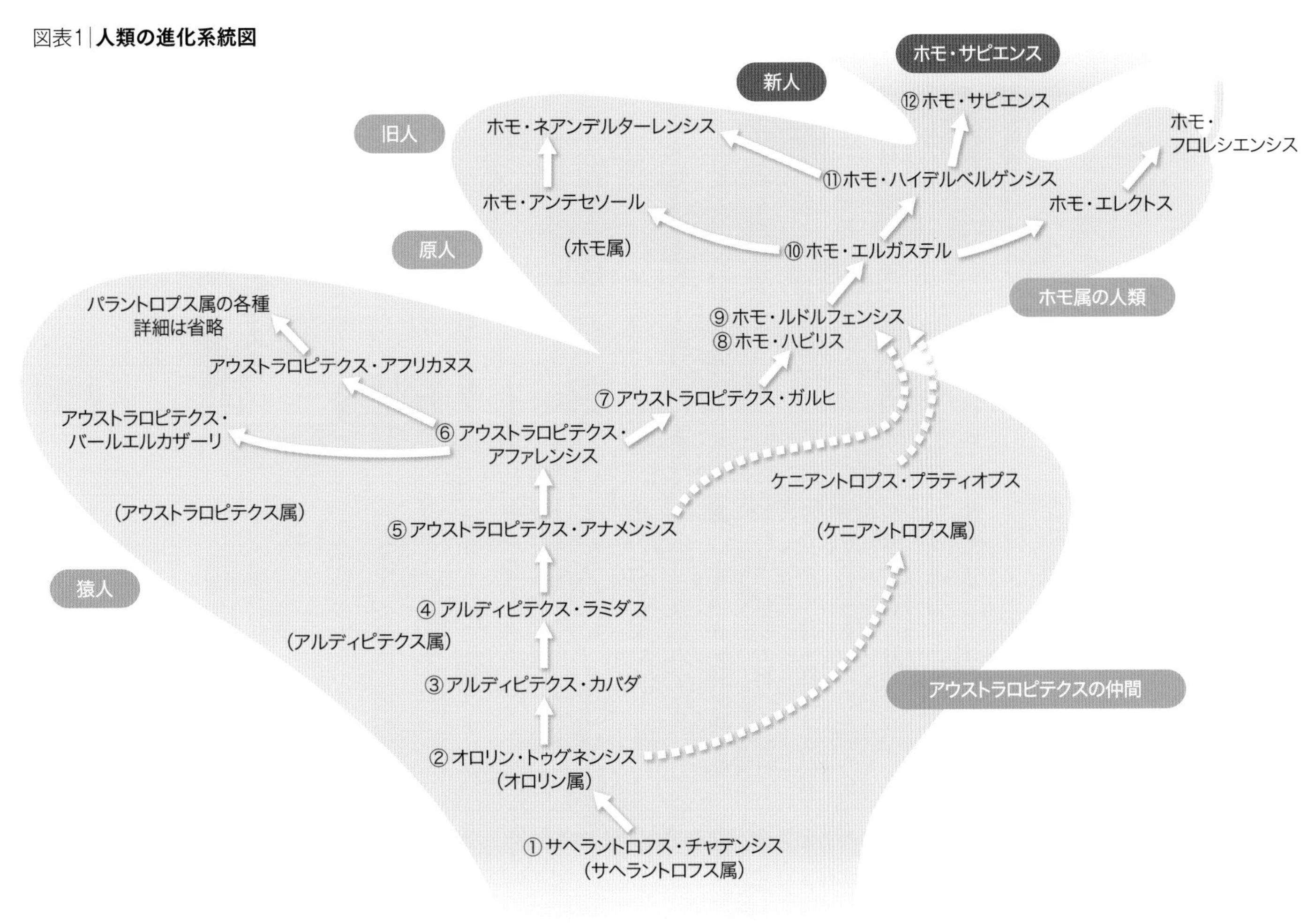

出所：マイク・モーウッド『ホモ・フロレシエンシス』(NHK出版、2008年)をもとに三菱総合研究所作成

することを望み、そのために技術を磨き、さまざまな人工物を生み出してきた。2019年に開催した「三菱総研フォーラム」(44ページに詳細記事)の鼎談で、東京大学大学院教授の佐倉統氏は「ほかの生物が気の遠くなるような時間をかけて、遺伝子を変異させることでしか実現できなかった環境適応を、人間は技術によって実現してきた」と語っている。人間はまさに「技術や人工物と一体化した生物」なのだ。

そうしたことが極まれば人間は「身体性」を失うのではないかという向きもあるが、むしろ、人間・生命拡張技術が進歩する未来にこそ、人間の身体性の価値は高まるともいえるのだ。

たとえば、映画監督の押井守氏はこう語る。「アニメに登場する超人的なキャラクターも、常に超人でいることを望んでいるわけではない。人間の身体を持ちながら、テクノロジーの力で一時的に超人的な力を得たいという『パートタイム超人願望』が、人間の超人願望の本質ではないか」と。

アメリカの大ヒット映画『アイアンマン』の主人公トニー・スタークは、ふだんは実業家でありエンジニアでもあるが、非常時にはみずから開発したパワードスーツを身にまとい、颯爽とスーパーヒーローに変身する。彼のように、人間としての身体性を保持し、「いつでも元の身体に戻れる」という保証の下でパートタイム超人になること。それが、拡張の先に人間が目指す理想の姿なのかもしれない。

テクノロジーで「脳」「身体」「人の間」の限界を超える

みずからの限界を超えるための「人間・生命拡張」とひと口にいっても、その技術は多岐にわたる。

病気や事故で損傷した身体組織を甦らせる再生医療から、失った手足を代替する義手や義足、果ては脳の活動を読み取ることで機械を自分の身体の一部のように動かすブレイン・マシン・インターフェース（ＢＭＩ）、意識や感覚をも拡張するＶＲ・ＡＲまで。個人の身体に関わるものだけでも、手法もアプローチもさまざまだ。

これらに加え、現在ではさらに「人と人との間」に生じる課題、つまりコミュニケーションの領域でも、さまざまな拡張技術が開発されている。

これらを概観するために、人間・生命拡張に関わる技術のカオスマップ（図表2）を作成したのでご覧いただきたい。多種多様な人間・生命拡張技術を、技術の対象（個人／人と人との間）、技術が解決する課題の種類の二軸で領域ごとにマッピングしたものだ。

本書ではこのうち、未来の社会に与える影響がとりわけ大きい3つのカテゴリを特に詳細に論じている。具体的には①脳の拡張（個人×情報的領域）、②身体の拡張（個人×物理的領域）、③人と人との間の拡張（人と人との間×情報的または物理的領域）である。

「人間拡張」というと「サイボーグ」のような個人の身体を機械的に拡張することをイメージしがちだが、「共同体のなかで生きる」という生活スタイルにこそ人間らしさが宿ると考え、ここでは「人と人との間に生じるコミュニケーション」の手段を拡張することも「人間・生命拡張」と定義し、同列に論じている。

これは京都大学総長にして霊長類研究の第一人者である山極壽一氏の「個体が意思を持ち、集団の目的を共有してチームをつくること」を人間最大の特色ととらえる見方にならうものである。

各論では、各カテゴリを代表する技術や注目の技術について深く掘り下げ、その現状を確認し、社会にもたらすインパクトを調査した。さらに、そうした技術がこれから社会に実装されていく過程で構築される新たな社会像についても考察した。

「拡張技術」という意味では、図示した以外にも空間拡張技術（宇宙、深海など）が存在するが、今回は言及していない。

人間・生命拡張技術❶

脳の拡張：ＡＩ

脳の拡張技術のなかでも、特に人類の脳の一部を代替し始めているＡＩについて、今回は取り上げたい。

社会への実装が着々と進む特化型ＡＩ（特定の問題解決に特化したＡＩ）だけでなく、汎用ＡＩ（未知の問題領域にも対応可能なＡＩ）こそが最も重要であると判断した。

いずれにせよ、ここで取り上げたのは人体の外部に独立して存在するＡＩであり、人体や脳とインターネットを直接つないだり、人の意識や人格をコピーしたりといった、個人の脳を直接拡張するための技術は除外した。ただしＢＭＩについては「脳の老化を防ぐ」という領域で一部触れている。

特化型ＡＩは、画像認識、音声認識、自動運転、対話型ロボット、ゲームなど、さまざまな用途のものがすでに身近な場所で活躍しているが、本書の各論では、その一種である「将棋ＡＩ」を取り上げている。

汎用ＡＩについては、実用化の時期がまだ明確に見通せないが、機械学習や神経科学分野の研究が近年めざましく進展したことを背景に、人間同様の、あるいは人間を超える知的能力を持つＡＩの開発に取り組む研究者や企業、機関が増えている。

汎用ＡＩの開発促進を目指して、研究者

が連携するＮＰＯ法人の全脳アーキテクチャ・イニシアティブ代表である山川宏氏は「汎用ＡＩは、やがて人間社会の葛藤や対立すらも調整するようになる」と、その未来を予言する。しかしそれは、機械がすべての社会課題を解決してくれる「楽な未来」を意味しない。

「重要なのは、汎用ＡＩにどんな目標を与えるかということ。そのためにはまず、人類が目標を共有しなければならない。また汎用ＡＩがどれだけ優れた頭脳を持ったとしても、最終的な判断は人に委ねられる。つまり、人はいま以上に倫理観を問われることになる」という山川氏の指摘は、ＡＩ時代の人間の役割を端的に示すものだ。ＡＩが普及した世界では、人は煩雑な作業から解放される。と同時に、より根本的な問いに向き合う高度な思考力や判断力が求められるようになるのだ。興味深いことに、同じ趣旨の指摘を名棋士である羽生善治氏も行っている。

そのためには、従来型の知識偏重教育とは一線を画す、新たな「教育」も必要になる。ＡＩは、まさにこの「教育」分野での積極的な活用も期待されている。羽生氏も「（将棋に限らずどんな分野でも）ＡＩとの共存で、無駄なく学習を最適化することが可能」と語っているように、蓄積されたビッグデータを活用した学習の効率化や、学ぶ

図表2｜**人間・生命拡張に関わる技術のカオスマップ**

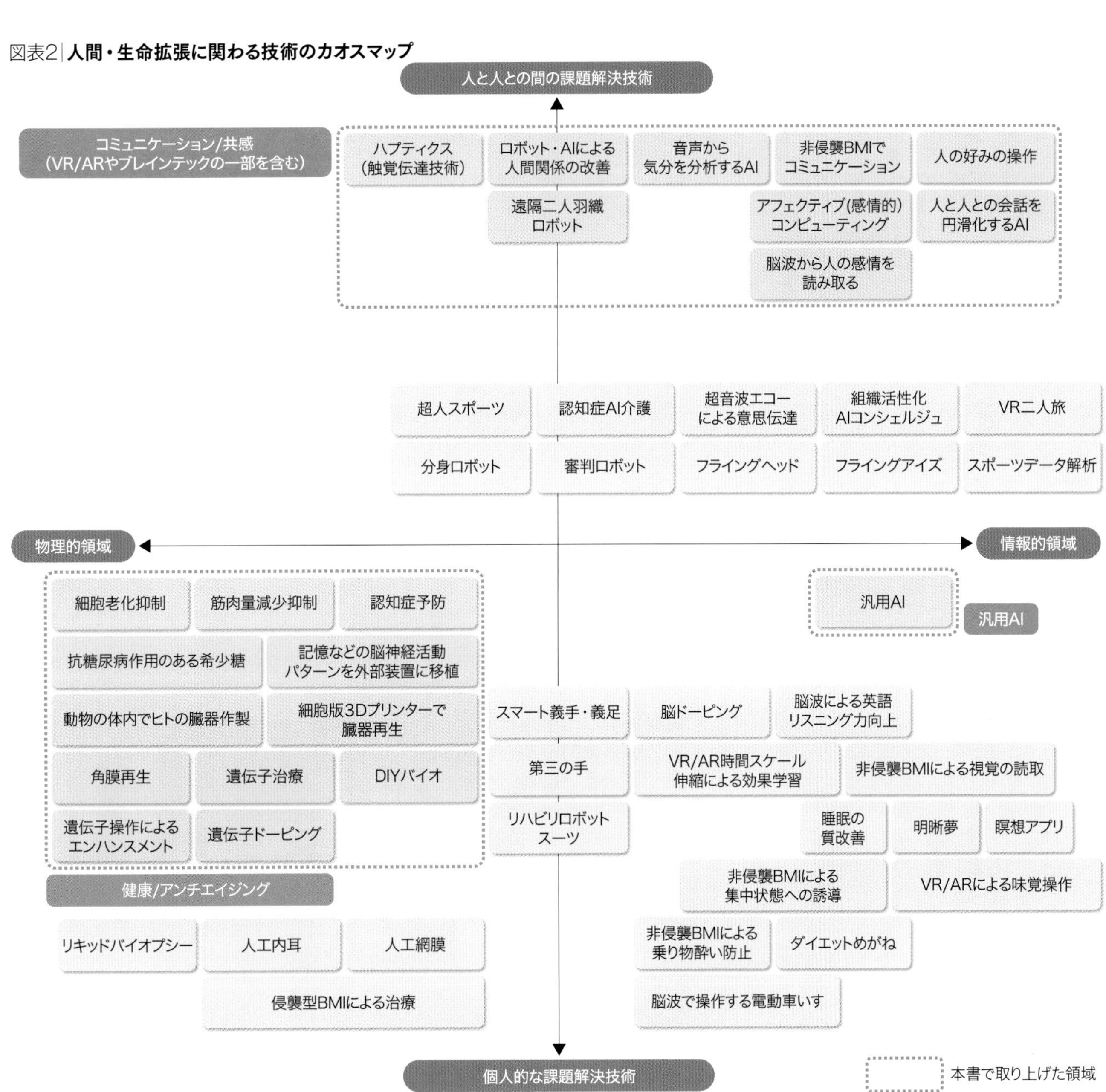

人の個性に合わせたきめ細かいカスタマイズはAIの得意とするところ。人はAIを活用しながら能力を高め、AIを主体的に使いこなす未来に向かうのだ。

人間・生命拡張技術❷

身体の拡張：健康寿命の延伸

現代でも病気に悩んでいる人は少なくない。そこで身体拡張に関しては、主に個人としての生命拡張技術、つまり「健康寿命の延伸」や「アンチエイジング」の技術について論じた。これらは「いつまでも若く、健康でいたい」という人類の究極の願いにつながるテーマだ。ただし、まだ実現が遠い「不死」の技術や、「腕を3本にする」「筋力を通常の3倍にする」といった、過剰拡張ともいえる技術は今回の論からは外している。

「健康寿命の延伸」にまつわる技術は、再生医療、生活習慣病予防、デバイスを用いた機能回復を重点的に取り上げた。特に、iPS細胞の技術樹立以来、大きな進化を遂げている再生医療の分野では、医療の常識をがらりと変える革新的な研究が進んでいる。

たとえば、動物の体内で人間の臓器を育てる研究に取り組むのが、スタンフォード大学教授の中内啓光氏だ。患者の細胞から作製したiPS細胞やES細胞をブタやマウスなど、別の動物の生体内で育て、患者の身体に移植するというもので、臓器移植の新たな方法を開く研究として注目されている。

一方、3Dプリンターでさまざまな組織を生成する技術の実用化を進めているのが、バイオベンチャー企業、サイフューズだ。同社は、患者自身の細胞を培養したスフェロイド（細胞塊）を材料に、独自に開発したバイオ3Dプリンターで血管を成形する技術を確立した。現在はすでに臨床試験のフェーズに至っており、実用化目前だ。骨軟骨、神経、肝臓でも同様の研究を進めているとしており、人体のなかで正常に働く立体的な臓器がまるごと3Dプリンターから描出できる日も近い。

いずれの技術も、自分自身の細胞だけを材料としているゆえにドナーを必要とせず、移植後に免疫不全を起こしにくいなど安全性も高い。臓器移植しか治療法のない病気の患者にとっては大きな希望だ。こうした治療があたり前になれば、多くの人の寿命を大きく延ばせるようになる。しかし、たとえ技術が確立しても、一般的な医療として普及させていくには、倫理面の社会的合意をどのように形成するかという点で高いハードルがあることに注意したい。

「アンチエイジング」に関しては、食べ物やサプリで身体機能を若返らせたり、薬で細胞のステータスを巻き戻したりといった技術を取り上げた。

一例が、健康効果のある甘味料として注目されている「希少糖」だ。希少糖とは、ブドウ糖や果糖ときわめてよく似た構造を持つ糖で、自然界にはわずかしか存在しない。人間はその大部分をエネルギーとして利用できないため実質的なカロリーはゼロだが、血糖値の上昇を抑えたり、抗虫歯、

内臓脂肪蓄積制御効果など、さまざまな働きを持つことがわかってきた。香川大学教授の秋光和也氏らの研究で大量に生産する技術も確立されており、今後、食品、医療、美容などさまざまな分野での活用が期待されている。

アンチエイジングにつながるこうした素材の研究は数多く行われており、病気になる手前、いわゆる「未病」の段階で健康状態を適切にコントロールする方法の多様化が進む。

ただし、そう簡単にアンチエイジングできないのが「脳」だ。脳は加齢とともに萎縮し、神経細胞が減っていく。それに伴い、認知機能や判断力も衰える。人間のアイデンティティを規定し、絶対に替えが利かない臓器である脳は再生医療の応用も難しい。「意識」をコピーして外部に移す、というような方法も、実現できるかどうかは科学的に未知数だ。

ただし、希望はある。カリフォルニア大学サンディエゴ校教授の小宮山尚樹氏は「マウスの脳では、海馬において『アダルト・ニューロジェネシス（神経再生）』が確かめられている。人間にも大人になってから生まれる神経細胞がある」と話す。こうした現象を人工的に起こすことができれば、脳の老化も将来的には止められるかもしれない。

人間・生命拡張技術③

人と人との間の拡張：コミュニケーション

SNSなどコミュニケーションツールは発達しているものの、人とのコミュニケーションで悩んでいる人は少なくない。そこで「人と人との間」を拡張する、つまりコミュニケーションを円滑にする技術として、「AIを用いたコミュニケーションアシスト」や「感情の可視化」に着目した。

コミュニケーションアシストツールは、会議の議事録を自動的に作成する「議事録作成AI」や「AIチャットボット」などさまざまなツールがすでに社会実装されている。

さらに、昨今のセンサー機能の向上は、脈拍、発汗などの身体活動や、脳活動の緻密なセンサリングを通じて「感情を可視化する」ことを可能にしている。

たとえば冒頭で紹介した「感性アナライザ」は、長年にわたって収集した脳波のサンプル分析から「感情」を読み取ろうとする技術だ。主観的にしか推測できなかった感情を、客観的に可視化するこうした技術の進展は、対人関係におけるミスコミュニケーションを大きく減らすことになるだろう。満倉氏はそれを「相手の心がわかることで、言わば『相手のトリセツ』が準備できる」と説明する。同じツールを自分に使えば、自分の感情も客観的に把握できるようになり、ストレスコントロールなどにも役立つ可能性が高い。

また「AIとのインタラクション」を専門とする京都大学大学院教授の西田豊明氏は、現状のチャットボットのようにあらかじめ想定された発話に対応するだけでなく、フレキシブルな「会話」ができ、本来の意味で人間とコミュニケーションできるAIを研究している。ただし、そのためにはAIにも、人間の発言の背景や文脈、言わば「コモングラウンド」を共有する力が必要になる。それを可能にするための前段階として、人と人が相手の思考を瞬時に映像化して共有できる技術は近く実現するだろうと話す。

人が頭のなかに思い描いたイメージを脳の活動から直接取り出せるようになれば「まったく誤解のないコミュニケーション」が可能になり、ミスコミュニケーションは格段に減る。誤解やすれ違いもなくなり、対人ストレスや「不機嫌」が消える社会も夢ではないのだ。

技術が社会に定着するために越えなければならない3つの壁

次に、これらの人間・生命拡張技術が、

どのように社会に浸透していくかを考えてみよう。

先にも触れた三菱総研フォーラムで当社（三菱総合研究所）理事長の小宮山宏は、技術には「自律進化性」があると言及している。ある技術が社会に出れば、開発者の意図や、社会のニーズにかかわらず、勝手に進化してしまうのだ。

しかしもちろん、そのすべてが社会に定着するわけではない。最終的に技術が生き残るためには、多くの人にその技術がよいものであると認められ、運用ルールが決められ、市場に組み込まれるというステップを踏む必要がある。言い換えれば、技術が社会実装されるためには「倫理的な合意」「制度化による社会の受容」「経済的合理性の獲得」という3つの壁を越えなければならないのだ。

本書では、倫理面の合意について一石を投じたアート作品を紹介した。アーティストの長谷川愛氏の作品『(Im) possible Baby』だ。実在の同性カップルのDNA情報から「生まれるかもしれない子ども」のDNA情報を生成し、それに基づいて「家族写真」が制作されている。日本ではまだ国の制度としては同性婚すら認められていないが、遺伝子操作技術を使えば、いずれ同性カップルも遺伝的につながった子どもを持てるようになる可能性は高い。ただし、それが倫理的に許されるかどうかはまた別問題だ。この作品は、ありえるかもしれない未来の一断面を視覚的に示すことによって鮮やかな問題提起を行っている。長谷川氏は「生命倫理や社会通念について、当事者も含めてもっと多くの人と話がしたい」と言う。

新しい技術が社会に受容されるには、丁寧な科学コミュニケーションが欠かせない。この点に関する考察は102ページ以降に事例集としてまとめているので、合わせて参照してほしい。

最後の壁「経済的合理性の獲得」については、産業技術総合研究所人間拡張研究センター研究センター長の持丸正明氏による「人間拡張技術はインテグレーション型」という指摘が重要なカギになる。従来の技術は単独で大きなイノベーションを生み出し、単独で経済性をもたらしたが、現在の技術の多くは、複数の多様な技術をさまざまに重ねてイノベーションを起こすものだ。それをビジネスとして成立させるには、技術開発、サービス提供、データ管理、顧客管理まで含めたビジネスエコシステムの構築が欠かせない。ビジネス化における具体的な解についてはここでは検討しないが、これからの技術の社会浸透を語るうえで非常に重要な視点といえよう。

いずれにせよ、新しい技術は社会に強い影響を与える可能性が高いからこそ、それを普及させるプロセスは、もっとオープンに、社会の多様な構成員やステークホルダーを巻き込んだ活発なコミュニケーションを通じて行われるべきである。専門家だけの議論に閉じるべきではない。

実在する同性カップルの遺伝情報をもとに生まれるであろう子どもの姿を予測し、制作された「家族写真」

写真提供：長谷川愛氏

痛み、苦しみ、誤解がない選択肢が増えるアクティブな世界へ

現在開発が進む人間・生命拡張技術を一覧表にまとめた（14ページから、図表3—

1、3—2)。こうしたさまざまな技術が、実際に社会に受容された時、どのような世界が出現するのか、その未来像を考えたい。

まず身体面だが、人間の健康寿命は延び、人生の活動総量が増えることは間違いない。医療技術の進歩で、がんなどの重い病気にかかっても健康体に戻れる可能性があるし、人工子宮を活用すれば、出産の痛みやリスクからも解放される。

AIによる労働代替も進み、ビッグデータを活用した教育の成果で、どんな分野でも、これまでより短期間で一定レベルのノウハウを習得できるようになるだろう。そして、簡単に答えが出る問題は機械に任せ、人の知的活動の中心は、より複雑な社会的合意形成や重要な意思決定にシフトする。

また、AIが個人の「信用スコア」を正確に数値化できるようになれば、社会の「一般的信頼(国立情報学研究所の山岸俊男氏の定義による)」が高まり、個人単位のビジネスがスムーズにできるようになったり、コミュニティ間の流動性が高まったりするだろう。

コミュニケーションテクノロジーが進化し、対人関係における誤解が起きにくくなると、ミスコミュニケーションによる不機嫌や軋轢は大きく減るだろう。さらにVR・ARを活用すれば、距離や文化の壁を越えて、さまざまなタイプの人やコミュニティと簡単につながれるようになる。

東京大学教授の稲見昌彦氏いわく、情報社会の人間は「ディジタルサイボーグ化」しており、物理的な身体は以前と何ら変わらなくても、遠隔地に分身ロボットを置いたり、ネットワーク内にアバターを置いたりすることで、その活動の範囲をどんどん広げることができる。1人で複数のアバターを使い分けてもいいし、複数人で1人のアバターを共有してもいい。VR空間に「過去の自分」や「異性としての自分」を独立した人格として存在させ、自分同士で対話するという状況も一般化するという。いくつものコミュニティに一人の人間が同時に属するのはあたり前になり、新しいコミュニティの立ち上げも活発化するはずだ。

AIがわずらわしい単調な作業を引き受ければ、人間の判断力は研ぎ澄まされ、多様な価値観に基づくイノベーションが増加する。そのような世界では、規模の大小にかかわらず、これまでにない新しいものを創造することが最も価値を持つものになっていく。

数々の拡張技術が創造する未来は、時間、体力、ノウハウ、チャネルに満ちている。社会全体に余裕が生まれ、人々は功利的な行為より、遊戯的な行為に目を向けるようになる。オランダの歴史学者、ヨハン・ホイジンガが約80年前に示した人間観「ホ

モ・ルーデンス（遊ぶ人）」のための社会がようやく到来するといってもいい。

　仕事がすべてなくなることは想定しづらいが、新しい価値の提供や意思決定以外の仕事は単純かつ短時間の作業となり、従来型の仕事の一部はゲーム化されていくだろう。総括すると、身体的にも感情的にも「嫌なこと」が減っていき、どんなジャンルにもチャレンジしやすくなる。社会全体の活力やコミュニケーション力も向上し、古生代に起きた生物種の爆発的な増加「カンブリア大爆発」のような、多種多様なコミュニティやイノベーションの増加が起きるに違いない。

未来人が抱える孤独を「身体性の共有」が癒す

　もちろん、技術がネガティブな影響を引き起こす可能性もある。特に、ＡＩや高度医療技術の進展は、それを活用できる人間

拡張技術内容
電極チップで視力回復
iPS細胞から作成した角膜上皮細胞を移植
埋め込まれた電極が蝸牛の聴神経を刺激し脳が音を認識
センサーと動力により能動的に制御される義手・義足
筋電センサーとアクチュエータによる動作反復による運動神経の回復
EEG（脳波計）で計測した脳波信号により電動車いすを制御
患者由来の多能性幹細胞を別種の動物の体内でヒトの臓器になるまで育てて患者に移植
患者由来の細胞を増殖し細胞版3Dプリンターで血管・神経・軟骨・肝臓を作成して患者に移植
血中エクソソームのマイクロRNA解析により細胞のがん遺伝子変異を超早期発見
がん抗原を認識するように免疫細胞を改変（CART療法）
血管新生を促す因子発現を促す遺伝子を注入
ドーパミン産生を促す遺伝子を注入しパーキンソン病を改善
電子チップを脳内に埋め込みパーキンソン病、アルツハイマー病、脳卒中麻痺の改善
DBS(脳深部刺激療法)
ユマニチュード介護方法をベースとしてセンサー＆ＡＩで認知症者の状態変化を予測した効果的ケア
EEG（脳波計）で計測した脳波信号により文字タイピング
下あごに当てた超音波エコーの口腔の動画データにおける口とのどの動きからAI機械学習により発話文字情報を解読
サーチュイン遺伝子（長寿遺伝子）の活性化を促す補酵素NMN（ニコチンアミドモノヌクレオチド）
細胞の分化・増殖において重要な役割を担っている生理活性物質ポリアミンの摂取
加齢による筋肉再生力低下の作用機序と関連遺伝子などが解明
長期記憶に関連する遺伝子CREBの改変によりマウスの記憶力向上→人間への適用は社会的問題大
運動時に筋肉細胞で産生されるイリシンが記憶力低下抑制に関係していることが解明→運動の予防有効性が解明
腸内の常在菌「バクテロイデス」の量が認知症の発生率に関係があることが解明→腸内細菌バランスによる予防療法に道筋
肩に付けた第三・第四のロボットアームを足で動かす
脳波や筋電でロボットアームを操作
経頭蓋直流電気刺激法（tDCS）を使った練習によりジャンプ力など身体能力向上
酸素運動能力や筋肉増幅に関与する遺伝子を操作し運動能力を向上
長期記憶に関連する遺伝子CREBの改変によりマウスの記憶力向上

図表3−1 | **人間拡張技術一覧**

拡張技術適用分野	拡張技術名	拡張技術活用イメージ/目的
視覚障害	人工網膜	•周囲の明暗を感じ取ることができるため、視覚障害者が自分の位置や、物や人の動きを察知することが可能に
	角膜再生	•献眼に依存する角膜ドナー不足の解消
聴覚障害	人工内耳	•難聴の治療
四肢障害	スマート義手・義足	•通常の義手・義足よりも安定した歩行ができる
	リハビリロボットスーツ	•筋萎縮性側索硬化症(ALS)などによる歩行機能障害からの回復
	脳波で操作する電動車いす	•体の動きが制約されている人の行動範囲拡大
臓器疾患	動物の体内でヒトの臓器作製	•移植ドナー不足の解消 •移植時の拒絶反応の解消
	細胞版3Dプリンターで臓器再生	•移植ドナー不足の解消 •移植時の拒絶反応の解消
悪性腫瘍	リキッドバイオプシー	•がんの超早期発見による軽度段階での根治
	遺伝子治療	•再発難治性白血病の根治(新治療薬)
血管障害	遺伝子治療	•血流回復による下肢の動脈閉塞症の改善(新治療薬)
脳疾患	遺伝子治療	•運動機能の回復
	侵襲型BMIによる治療	•運動機能の回復
	侵襲型BMIによる治療	•脳深部に埋め込まれた電極によりパーキンソン病やてんかん等による不随意動作の改善
	認知症AI介護	•徘徊や異常行動を減らして患者のQOL向上ならびに介護者の作業効率向上
	非侵襲BMIによるコミュニケーション	•重度の四肢・言語障害者のコミュニケーション
発語障害	超音波エコーによる意思伝達	•声帯切除などの発語障害者のコミュニケーション
アンチエイジング	細胞老化抑制	•老化の抑制、長寿
	細胞老化抑制	•老化の抑制、長寿
	筋肉量減少抑制	•加齢によるロコモーティブシンドロームの抑制
	認知症予防	•加齢による記憶力低下の抑制、認知症の予防
	認知症予防	•加齢による記憶力低下の抑制、認知症の予防
	認知症予防	•加齢による記憶力低下の抑制、認知症の予防
四肢機能拡張	第三の手	•作業動作の効率化
	第三の手	•作業動作の効率化
身体能力強化	脳ドーピング	•スポーツ選手の身体能力向上
	遺伝子ドーピング	•スポーツ選手の身体能力向上(世界アンチ・ドーピング機構は遺伝子ドーピングを禁止)
知能強化	遺伝子操作によるエンハンスメント	•遺伝子改変により知能の高い子どもの誕生(デザイナーベイビー)

とできない人間の分断を引き起こし、公正とはいえない所得格差や健康格差を拡大してしまうリスクがあることには、十分注意を払わなくてはいけない。

とはいえ、ベストセラー『寿命１００歳以上の世界』の著者、ソニア・アリソン氏は、「最初は富裕層だけがそのメリットを享受する新しい医療技術も、時間が経てばコンシューマー化し、全員にいきわたるようになる」と楽観的な予測を示している。山口情報芸術センター［ＹＣＡＭ］研究員の津田和俊氏が挙げた「糖尿病の治療に不可欠なインスリンがアメリカで不足した時、バイオハッカーを中心にインスリンの製造プロセスをオープンソース化するプロジェクトが始動した」という例からは、コンシューマー化の手法そのものに多様化する兆しが見える。課題が増えた分だけ、解決策も増える。そう考えれば、そこまで悲観的になる必要はないのかもしれない。

一方で、高度化したヘルステックが「嫌

拡張技術内容
fMRIによる脳活動パターンより人が見ている画像を読み取る
神経細胞単位の活動を記録する技術を用いて、活動パターン情報を外部記憶装置に移植する研究が進行中
VR・ARによりスロー動作から徐々にスピードアップすることで高速に身体動作学習（例：けん玉の技習得実験）
希少糖D-プシコースは食後血糖値上昇を抑制し、肥満や糖尿病を予防する効果が解明
VR・ARにより食品を大きく見せることで満腹感を操作
実物と異なる食品の映像を見せることで五感のクロスモダリティー効果により味覚を操作（まぐろ→サーモン）
EEG（脳波計）による脳波計測で徐波睡眠時を判断し音楽を流し深い睡眠に誘導
EEG（脳波計）による脳波計測で電気刺激、光・音響刺激を与えることで明晰夢を体験
tDCSで前頭葉/楔前部を刺激することでクリエイティビティ/集中力を向上
瞑想にいざなう音響プログラム
音声の分析により人の気分の抑揚（こころの元気力）を診断するAI
リストバンドからの電気刺激で吐き気・嘔吐を抑える
大学や企業に属さない個人がバイオテクノロジーの実験や研究に取り組む
脳波から英語の音の聞き分けに関連する脳活動パターンを取り出し、円の大きさとして視覚的にニューロフィードバッグすることで上達
脳機能を模倣したり機械学習を組み合わせることにより、あらゆる分野において人間と同等な判断ができる汎用AIの開発が進行中
非侵襲BMI技術により脳から直接文字を1分間に100字読み取る研究開発などが進行
ウエアラブルセンサー&AIによるチームコミュニケーション分析から組織マネジメントをサポート
ウエアラブルセンサー&AIによる人の感情の分析
ロボット・AIが人と人との人間関係に介在することで関係性を改善
脳の帯状皮質の活動状況を誘導することで人の好き嫌いの感情を操作
EEG（脳波計）で計測した脳波信号を解析することで人の感情をリアルタイムで把握
人の発言の根拠となる背景や経験をイメージとして映像化するAI
遠隔地にいる操作者とロボット装着者の2人がほぼ同一の視点から空間を共有し、ロボットアームを介した身体的な共同作業を可能にした
触覚の第三者への伝送技術とVR・AR技術のクロスモダリティ効果による新たな五感体験
ユーザーのヘッドマウントディスプレイにドローン搭載のカメラ映像を表示し、ユーザーの体の動きでドローンの飛行制御をすることでユーザーが飛行を体感
個人競技ならびにチーム競技のパフォーマンスをセンサー&画像で解析
ロボットスーツやVR・AR技術により超人的なスポーツ感覚を体験
ドローンの自律飛翔制御&カメラ制御技術により外から自身の姿を体外離脱のように見ることができる
ロボットがスポーツの試合の審判を務める
身体障害・高齢・育児などの理由で外出する際に何らかの困難を伴う「移動制約者」が分身ロボットを活用することで新たな社会参加が可能に
VRによる世界中の旅行体験

図表3—2｜**人間拡張技術一覧**

拡張技術適用分野	拡張技術名	拡張技術活用イメージ/目的
意識可視化	非侵襲BMIによる視覚の読取	●人が想像した光景が読み取れる　●光景を想像するだけでネット検索ができる
脳機能拡張	記憶等の脳神経活動パターンを外部装置に移植	●記憶の保存・再生ができる ●念じるだけでロボットアームを動かせる
運動の学習	VR・AR時間スケール伸縮による効果学習	●スポーツの上達、熟練職人技の習得
生活習慣病予防	抗糖尿病作用のある希少糖	●肥満、糖尿病といった生活習慣病の予防
ダイエット	ダイエットめがね	●ダイエット
食味アップ	VR・ARによる味覚操作	●安価な食材をおいしく食べる
睡眠	睡眠の質改善	●深い睡眠が得られる
	明晰夢	●夢の状況を自分の思い通りに変化させられる
集中力アップ	非侵襲BMIによる集中状態への誘導	●創作活動や学習の効率化
メンタルヘルス	瞑想アプリ	●瞑想を手軽に楽しむ、ストレスの解消によるメンタル状態の改善
	音声から気分を分析するAI	●職場におけるうつなど気分障害者の低減
旅行	非侵襲BMIによる乗り物酔い防止	●快適な自動車・船旅行
創造的活動	DIYバイオ	●自分の遺伝子情報を自分で解析 ●農水業従事者が遺伝子情報を解析して栽培方法改善
教育	脳波による英語リスニング力向上	●語学力の向上
判断・意思決定	汎用AI	●汎用AIとの共同作業により仕事や暮らしが質・量ともに拡大
脳機能拡張	非侵襲BMIでコミュニケーション	●しゃべらなくても人との対話やAI・ロボットへの指示ができる
組織マネジメント	組織活性化AIコンシェルジュ	●組織全体のパフォーマンスが向上
人間関係改善	アフェクティブ(感情的)コンピューティング	●人同士の相互理解が進み、協働作業やコミュニティでの合意形成などが円滑化・効率化
	ロボット・AIによる人間関係の改善	●人同士の相互理解が進み、協働作業やコミュニティでの合意形成などが円滑化・効率化
	人の好みの操作	●好きになる出会いの演出
	脳波から人の感情を読み取る	●相手の感情がわかりコミュニケーションが円滑化 ●自分のストレス状態をコントロール
	人と人との会話を円滑化するAI	●人のコミュニケーション力をAIが補い効率的に会話ができる
共同作業	遠隔二人羽織ロボット	●遠隔共同作業
エンタメ	ハプティクス(触覚伝達技術)	●遠隔でのリアルな手触り体験　●触感をプラスすることで新たなコミュニケーション体験
	フライングヘッド	●新感覚のエンタメ
スポーツ	スポーツデータ解析	●スポーツの能力・スキル・戦術の向上　●スポーツ観戦の魅力度UP
	超人スポーツ	●新感覚のスポーツ
	フライングアイズ	●スポーツの能力・スキル・戦術の向上
	審判ロボット	●試合からミスジャッジがなくなる(例:体操競技)
体験・対話	分身ロボット	●入院や身体障害などで通学できない児童が授業を受ける ●育児や介護、入院や身体障害などで通勤が困難な人がテレワーク
	VR二人旅	●友達と一緒にVR世界旅行

なこと」を無限に取り去ってしまうことで、人間らしい身体性が損なわれてしまうことを心配する声もある。

満倉氏は「痛みや不自由などのネガティブな感覚がない世界が実現すると、それらがあったからこそ強く実感できていた幸福感や達成感も薄くなってしまう可能性がある」と危惧し、東京大学名誉教授の養老孟司氏は「人間が本当に楽しめるのは、自然から与えられた食事、性、眠り。それ以外はほとんど人工的なもので、心から楽しむことは難しい」と語る。

コミュニケーションテックの進化も、こうした「身体感覚の希薄化」の傾向に拍車をかける可能性がある。対人関係における誤解やすれ違いがなくなれば、コミュニケーションがスムーズになるのは間違いないが、それは同時に、他者の「理解できない」「共感できない」曖昧な部分を自分に都合よく解釈して「美しい誤解」を成立させていたバッファーがなくなってしまうことも意味する。

だれもが自分の意見を明確に示す北欧スタイルの「個」が際立つ社会では、エッジの効いた個性をキラキラと輝かせる人が増える一方で、自分の意見がないためにつながる場所をなくしたり、たとえつながっても、意見の相違ゆえに「孤独」を感じたりする人も増えるはずだ。

このように考えると、技術の自律進化によって生み出された「新しい孤独」は、人間拡張社会の潜在的な課題といっていい。

現在の人間・生命拡張技術は人の身体性を維持したまま、意識など身体以外の領域の拡張を目指していることが多いが、身体的感覚の共有を大事にしてきた人類において、意識のつながりだけで幸福を感じられる人はまだ少数派である。

だとすれば、「身体的感覚の共有や共感を具現化するテクノロジー」は、次代の大きな課題であるとともに、イノベーションリソースが振り分けられるべき領域になるのではないか。

そのテクノロジーとは、大きく分ければ①自分自身の身体感覚と意識のズレをマッチングするテクノロジーと、②他者との身体的感覚の共有や共感を促すテクノロジーの2種類になる。そして、②には、人間との身体感覚の共有だけでなく、ペットやそのほかの動物であったり、場合によっては樹木や花なども含め、生物種を超えたものとの身体感覚の共有も含まれる。

押井氏は、身体感覚の大切さについて印象的なことを語っている。

「AIとか身体拡張とかいって、人間としての能力をどんどん拡大しようとしているけれど、それが本当に正しいことなのか。答えは、実は人間以外のところにあるのではないか。人間のなかには動物と同じ自然状態がある。その自然な部分を掘り起こしてみることが必要なのではないか」

稲見氏も「（植物に変身する疑似体験プログラムを試すと）植物も競争していることが体感でき、自然や世界の見え方が大きく変わる」と話す。

「ディジタルサイボーグ」たる人間が、人間以外の身体感覚を経験することは、ドイツ生物学者のヤーコプ・フォン・ユクスキュルがいう「環世界」(注1)の意味で、新しい世界の見方を獲得しうることになるかもしれない。こうした経験が、たとえば環境問題におけるコペルニクス的転回をもたらすなど、人間と社会を新たな段階へと導きうるかもしれない。

身体を拡張し、その先に、さらに新しい「身体」性の獲得を目指す――。常に自己を超えようとする人類のチャレンジはまだまだ続く。これこそが13番目の人類なのである。 P

注1)
知覚を持つすべての生物は、客観的な環境ではなく、その生物が認識でき、働きかけることができる環境（＝環世界）で生きているという考え方

ATSUYA FUJIMOTO

東京大学大学院新領域創成科学研究科修士課程修了。ESADEビジネススクール（バルセロナ）MBA（2016年）。2006年、三菱総合研究所入社。専門は、新規事業開発、組織戦略（経営統合等）。ブレインテックなどの先端技術を活用した新規事業から、ペットビジネス、シニアビジネスなど多岐にわたるコンサルティングサービスを現場・ユーザーを強く意識し展開。技術・マクロトレンドと人・社会の変容を織り交ぜた、未来社会像構築も多数実施。ワイズポケットの創業メンバーでもある。

Phronetic Leaders

日本将棋連盟 棋士 九段

羽生善治

YOSHIHARU HABU

聞き手｜三菱総合研究所 研究理事 亀井信一
三菱総合研究所 次世代インフラ事業本部 兼 未来構想センター 研究員 飯田正仁
三菱総合研究所 科学・安全事業本部 兼 未来構想センター 研究員 薮本沙織
写真｜黒澤宏昭　構成・まとめ｜小松崎 毅

AIで「最適化」された未来でも人間が負けることはない

将棋の世界もＡＩ（人工知能）が席巻している。将棋の分析や研究にＡＩを使うことがあたり前といわれるほど浸透し、かつての常識であった定跡は覆され、新しい定跡が生まれている。また、藤井聡太七段のように若い頃からＡＩを使った研究を取り入れている棋士も登場し、今後さらに同様の経験を積んだ新進気鋭の棋士が増えていくと予想される。将棋界の第一人者であり、ＡＩにも深い知見を持つ羽生善治九段にその可能性と未来についてどのように考えているのかをうかがった。

棋士の常識を超えた恐れを知らないＡＩの定跡

現在、ＡＩを搭載した将棋ソフトの能力は、どのレベルにまで到達しているのでしょうか。

進化のスピードで説明するとしたら、１年経つと当時の最強ソフトに7～8割の確率で勝つことができるほどの進歩をしています。私を含めて人間は、前年の自分に対してそれだけの確率で勝つことはできないでしょう。

もともと将棋のAIは、２００５年に保木邦仁さんの開発したＢｏｎａｎｚａ（ボナンザ）という当時の最強ソフトがオープンソース化（プログラムを公開）され、それをベースに自由に更新する形で進化してきました。評価関数という、局面を解析してポイント化する基準があるのですが、人間が局面を判断するのに用いる要素は、手番、厚みなどせいぜい10程度。しかし、ＡＩを搭載した将棋ソフトは現在、１万以上のパラメータを使って局面を判断します。さらに膨大な手のなかから一つを選択するには、「これは無駄な手だ」と瞬時に判断する必要があります。現在の将棋ソフトはこの無駄なものを削ぎ落としていく「枝刈り」の精度もかなり上がっているため、人間よりはるかに多い候補手のなかから最高ポイントの手を指してくることになります。

また、オープンソース化することによって開発のハードルが低くなり、将棋をまったく知らないプログラマーも開発に関わることができるようになりました。そのため、棋士の常識を超える考え方が入ってきているのも進化の要因でしょう。将棋の世界では長年定跡とされてきた手が覆され、新しいＡＩ流の定跡が生まれているわけです。

現在では、ほとんどの棋士が将棋ソフトを使って研究しているため、実際に対局すると、「ここまではＡＩで研究してきたな」とわかる場合がありますね。

現在最強といわれるＡＩとして「アルファゼロ」がありますが、将棋を指させると、

これまでの人間の常識にない手を指してくるそうですね。

「アルファゼロ」は、人間の考え方がいっさい入っていないAIなんです。これまでのソフトは過去の人間の膨大な棋譜(注1)をビッグデータとして読み込ませることでつくられてきました。しかしアルファゼロでは、基本的なルールを教えただけで、人間の棋譜や指し手はまったく教えていません。そのうえで、ひたすら自己対局を繰り返して、勝つ可能性の高い手を自力で学んでいきます。つまり、AI自身によってゲームが展開されているのです。だから、発想が人間とまったく異なってくることは当然です。

AIは先の流れを読んで指すようなことはありません。その局面での評価点によって、最高の手を指してきます。そのため、人間的な発想で「ここでのポイントは低いけれど、何手か先に進めばよい展開になる」という手が、マイナス評価を下されてしまうこともあります。

AIの登場によって、将棋の定跡も変化してきました。専門的な話ですが、将棋には「角換わり」という戦法があって、この場合、木村定跡と呼ばれる「先手は5八金、後手は5二金」の形が15年ほど前までは定跡でした。ところが、最近では「先手は4八金、後手は6二金」の形が定跡になってきました。また、「振り飛車」は有名な戦法の一つですが、AIは現在の局面で形勢判断するので、飛車を振った瞬間にマイナス200点ぐらいの評価を下したりします。

人間が指す将棋では、長年の経験値があるので、こういう局面ならこう指したいという感情や癖が表れるものです。けれども、AIはそうした感情がないので、普通なら絶対に指さないような手でも、平気で指してきます。

また、人間の棋士は「持久戦に持ち込もう」とか、「どんどん攻めていこう」など、その日、その時の展開のなかで戦略を考えるのですが、現状の将棋ソフトは先ほどお話しした通り、その局面に限定した最善の一手を指してきます。一手ごとにリセットし、相手の出方に応じて、また次の局面で最善の一手を選んでくるわけです。

つまり、将棋における「流れ」はAIには関係ないということです。一手と一手の間につながりはありません。だから棋譜を見ると一貫性がなく、美しくないと感じることもあります。

AIが登場するまでは、プロ棋士はどのように将棋を学んできたのでしょうか。

私が最後の世代に近いかもしれませんが、入門しても師匠から直接教わる機会は少なく、見て覚えるという徒弟制度が主流でした。職人の世界だったんです。それまでの将棋は、様式美ともいえる定跡を見て、それを指すことで手の良し悪しを理解し、強くなっていくものでした。

ところが、近年はそういう徒弟制度的な育成環境もなくなってきましたし、将棋ソフトも普及し始めました。以前のような、言わば手に対する美意識のようなものは失われてきているように思います。

手に対する美意識がないということですが、AIの指す手に特徴的なものはあるのでしょうか。

AIには、人間のような恐怖心がありません。どんなに強い棋士でも王将を取られたくない気持ちがあるので、相手が迫ってくると、怖いと感じるものです。そんな恐怖心や思い込みがAIにはありませんから、普通なら恐れをなすような手でも、平気で指してくるのです。それによって、結果的に一貫性の見られない不思議な手になることがあるというわけです。

最初の頃は、AIが経験を重ね、厳密に計算して手を評価できるようになったら、ある局面に対してはこの手というように、一定の範囲に指し方が絞られていくと思っていました。けれども、現状はそうなっていません。

ただ、人間には適応力がありますから、以前はひどい手に感じていたものでも、だ

注1)
対局時における棋士の指し手の記録

んだん見慣れてきて、「それもアリだよね」と思えてくるのはおもしろいものです。美意識は変化していくものなのでしょう。

次は絶対この手しかないというものはなく、思った以上に選択肢が多いのですね。

同じ局面を何度もソフトに判断させると、必ずしも次の手が同じだったり、評価点が同じだったりするわけではありません。人間からすれば、「なぜ?」となるのですが、つまりソフトの評価ポイントは確定値ではないということです。

プラス200点という評価が出たとしても、もしかしたら200点以上、つまり400点だったのかもしれない。200点のつもりが実はプラスマイナスゼロの価値だったのかもしれない。1年前のソフトと何万回も対戦したうえで勝ち越したから、「こっちのほうがいい」と統計的に評価点を割り出しているにすぎないのです。絶対的な数値ではなく、揺らぎのあることがわかっています。

北陸先端科学技術大学院大学の教授でゲーム情報学の研究を行っている飯田弘之氏は、「洗練されたゲームには、スリルと遊戯性と芸術性がある」と述べています。AIから学んで定跡化が進んだ場合、ゲームの洗練度を下げることにはならないでしょうか。

AIが選んだ手をずっと真似して将棋を指していったら、人間は何のために将棋を指すのかという根本的な問題にぶつかります。AIを使って、どれだけ人間の能力を伸ばしていくかが大切です。

現状では、まだ試行錯誤という状態であり、最適な使い方を見つけ出すのは私たちではなく、次の若い世代の人たちになるでしょう。

YOSHIHARU HABU

1970年生まれ。将棋棋士。故・二上達也九段門下。85年史上3人めの中学生プロ棋士となり、89年に自身初のタイトルとなる竜王を獲得。96年には将棋界で初となる竜王、名人、王位、王座、棋王、王将、棋聖のタイトルを同時に獲得して七冠を達成。2017年、通算7期めの竜王位を獲得して永世竜王の資格保持者となり、永世竜王、永世名人、永世王位、名誉王座、永世棋王、永世王将、永世棋聖という永世七冠の称号を獲得する。また、トーナメント戦であるNHK杯将棋トーナメントでも11回優勝し、名誉NHK杯選手権者の称号も持つ。2018年、国民栄誉賞を受賞。

AIが避ける無駄のなかから人間の創造性が育まれる

将棋でも藤井聡太七段のように、若い頃からAIを研究に取り入れている若手が台頭してきました。前向きな影響ばかりが注目されますが、人材育成面でAI普及のデメリットはありえるのでしょうか。

藤井七段については、天才的な存在なので、おそらく将棋ソフトがなくても、いまのポジションに就いていたでしょう。ただ、子どもたち全体についていえば、失うものも出てくるのではないかとも思います。それはおそらく創造性です。人間的な創造性とは、現在では一般的な価値や評価が低いとされていることでも、そこに何らかの可能性を見出して分析や研究をし続けられることではないでしょうか。

AIにすべてを判断させて、その評価をもとに研究を進めたり、作戦を立てたりしても、そこで導き出されるものはその局面だけの最良の策であり、その後に悪い展開を招くことも十分に起こりえます。

それに、先ほどもお話しした通り、局面を限定すると、AIは過小な評価を下すことがよくあります。その評価に無条件に従っていると、その先にある可能性を早々に捨ててしまうことになります。もしかしたら、その20手先ではプラスに働くかもしれない。その可能性を信じて続けられるかどうかが、人間の創造性であり、個性にもなるのだと思います。研究者の方にお聞きしたところ、AIにランダムな要素を学習させても、「人間的」「独創的」な手は指せないそうです。

AIを高度化するために大量のデータを読み込ませるとはいっても、それはすべて過去のデータです。そこから、画期的な一手が生み出される可能性は低いかもしれませんね。

そうした手はAIには理解できず、当然低い評価が出るでしょう。人間には、むしろわかっていないからこそ進めるという能力がありますよね。可能性は低くても、この先に大きな鉱脈があるかもしれないと信じて突き進めるかどうか。失敗から大発明が生まれることはたくさんあります。

そのような点で、人間の創造性は、AIとはまったく隔絶された領域でこそ、涵養（かんよう）されるものなのかもしれません。

AIと隔絶した領域をつくるということは興味深いアイデアですが、それ以外に、人間の個性や創造性を育成するうえで、重要となるのはどういったことだとお考えでしょうか。

人間は勉強でもスポーツでも、優れた指導者やテキスト、環境などに囲まれて学ぶとともに、無駄なことや失敗もたくさん経験します。大きな回り道をしながら学ぶということですね。

まず、効率性の面でいえば、AIとの共存によって無駄を省き、学習の最適化をすることは可能なのではないでしょうか。いまの子どもたちには昔と違って、生まれてから育ってきた現在までのデータがあります。そのデータを集めてビッグデータとして活用すれば、一定の領域までは無駄を省いた効率のよい学習ができる可能性があると思います。

もう一つは、AIを個人向けにカスタマイズし、このテーマについてはこの子にこの課題を与え、この程度の負荷をかければ効果的に学べるといった形で、個人学習の効率化を図ることも可能だと思います。そうすればどんなジャンルにおいても、データの蓄積によるAIの進化で、個人能力のレベルを高め、基礎とその活用ができるようなところまでは効率よく育てることができると思います。

ただ、現状のAIは問題に対する答えだけが出てきて、その途中の発想のプロセスは教えてくれません。答えから遡ってプロセスを導くことができるかもしれませんが、まだ取り組みの途上ではないでしょうか。

ＡＩからだけでは、新たな局面に対応する力が身につかない可能性があります。やはり、周囲の優れた人間によるサポートが必要なのではないかと考えています。

同じピアニストの演奏でも、感動できる時もあれば、そうでもない時もあります。場の雰囲気や個性といったものを、AIの判断に取り入れることは可能だと思われますか。

暗黙知をＡＩにいかに反映できるかということですが、人間の脳の研究でも明らかになっていないものですから、まだまだ難しいと思います。同じレシピで料理をつくっても、できあがりはそれぞれ違います。腕のいい料理人にもありえることで、何が違うのか本人に尋ねても、説明できない部分もあるでしょう。

こうした点の解明も、これからの課題ですし、産業にも影響を及ぼすテーマだと思います。

AIが問う人間の本質

先ほど、可能性は低くても、鉱脈があると信じて突き進めることが、人間の特徴だとお話しいただきましたが、そのほかに、AIより人間が優位な点はどんなところだとお考えですか。

将棋や囲碁のある局面で最高の評価を下すとか、人間が何十年かけても計算できないものを瞬時にはじき出すとか、何か一つの物事に対するＡＩの能力は突出しています。一方、人間はある程度運動もできるし、言語も話せるし、練習すれば楽器も弾ける。最高の技術には至りませんが、マルチタスクであり、しかも、それを小さなエネルギーで実行できます。

こうした総合的な能力は現状のＡＩにはまだ備わっていないもので、人間が優れている点だといえます。

また、ＡＩはサイバー空間にしか存在できません。その空間で完結できる能力はとても優れていますが、リアルの世界は多様で、単純な学習だけでは補えない能力が必要になります。人間はさまざまな環境に適応できる能力や柔軟性、知性や体力を持っています。

あるＡＩの研究者と話している時に話題になったのですが、その研究者は詩を書けるようなＡＩをつくることは可能でも、実際につくることはないと言っていました。人間が暮らしのなかで感じたことを詩にするから意味を持つのであって、人の心がわからないＡＩが詩をつくっても、意味や感動は生まれないからというのがその理由でした。

２０１６年にＡＩの書いたショートショートが、星新一賞の1次審査を通過したとニュースになりました。内容や論旨が明確なショートショートなら、ＡＩでもすでに書けるようになっています。だからといってＡＩが村上春樹さんのような小説を書けるかというと、それはいまのところ無理です。おそらく、どこまで進化しても、人間の心を持つことは、ＡＩにはできないのではないでしょうか。

ＡＩの機械学習で「敵対的生成ネットワーク」という技術があります。たとえば、二つのＡＩがあって、Ａには偽札をつくらせ、もう一方のＢには偽札を見破る警察官の役割を担わせます。すると、Ａはどこまでもひたすらに精巧な偽札をつくり、Ｂはそれを見破る技術をどんどん高めていきます。こうして二つのＡＩは互いに高度な能力を獲得していきますが、はたして高めるべき能力なのかどうかの判断は、倫理観の問題になってきます。

現状のＡＩに倫理観はありませんが、一方で、人間には絶対的な倫理観があるのかといわれると、答えに詰まるところです。人によっても考え方が違いますし、そもそも倫理自体に形而上学的な側面があるからです。ＡＩの登場によって、人間の本質的な部分への問いかけがもたらされているのではないかと感じますね。P

東京大学 名誉教授

養老孟司

TAKESHI YORO

聞き手｜三菱総合研究所 未来構想センター センター長 関根秀真
三菱総合研究所 未来構想センター シニアプロデューサー 藤本敦也
写真｜朝倉祐三子　構成・まとめ｜二階堂 尚

AI時代に人が成熟するためには自然を楽しむ力を養うべき

人間には変化する環境に対応して、行動を最適化する力がある。しかし、その高い適応能力ゆえ状況に依存し、自分の意見や考え方を見失うこともある。AIやロボットといった技術の圧倒的進化によって、人間の能力や社会が大きく変容しつつある現在、どうすれば人間らしい生き方、人間らしく生きられる社会は実現するだろうか。『唯脳論』『バカの壁』といった数々のベストセラーを通して、脳と人間社会の関係に深い洞察をもたらしてきた解剖学者の養老孟司氏は、自然にこそ楽しみを見出す人間の感覚の重要性を説く。

一人ひとり「老い方」は異なる

「人生100年時代」が現実のものになりつつありますが、寿命が延びることで人は幸せになるのでしょうか。あるいは、どうすれば幸せな生き方ができるのでしょうか。

個人と社会を分けて考えるべきでしょうね。まず個人から見ると、60歳を超えると脳の個人差が大きくなります。脳が徐々に縮んでくる人もいるし、そうではない人もいます。これは、個人の努力ではどうしようもないことです。なぜなら、生物の原理において、60歳を超えて生き続けることはそもそも想定されていないからです。生物の原理からすれば、「なぜ、ボケることを防がなければならないのか」ということになります。がんも一緒です。生き物としてボケることはあたり前、がんになることもあたり前なのです。

想定外ということでいえば、社会のほうも同じで、これだけ老人が増える社会はだれも経験したことがないばかりか、だれも予想すらしたことがありません。どのような社会になるのか僕も興味のあるところですが、おそらく相当気が滅入る社会になるのではないでしょうか（笑）。

一つ言えることがあるとすれば、一般的な老人問題というものはないということです。一人ひとりが異なる老い方をしていく以上、老いを一律に論じることはできません。その異なる老い方を社会としてどう受け入れるべきか。その壮大な実験がこれから行われるのだと思います。

これからは働き手が減っていくなか、高齢者になってからも働く人が増えていくと見られます。しかし、ひと口に「老人」と言ってしまっては、活躍の場を制限してしまいそうですね。

そういうことです。だから、物理年齢はいっさい無視してしまったほうがいいんです。その人の能力や健康状態でどう働けるかを判断していけばいい。何ごとも一般論で語ってはいけません。

年齢に伴って衰えていく能力を、AIやロボットによって補おうという考え方もあります。

思い出すのはカラオケが登場した時です。僕は昔よく新宿辺りで飲んでいたのですが、流しのギター弾きが来て、歌を歌うと伴奏してくれたものです。こっちが音程を外しても向こうが合わせてくれます。うまいものでした。しかしカラオケが出てきてから、結局みんな機械に合わせるようになりました。AIと人間の関係もそうなっていくのでしょう。

著書『遺言。』のなかで、感覚もしくは身体と意識の違いについて論じられています。意識はテクノロジーに適応できても、身体は適応できないということもあるのではないでしょうか。

ありうるでしょうね。PCのソフトなどを使っているとそう感じます。一度エクセルの使い方を覚えても、しばらく使っていないと忘れてしまう。手順を機械的に覚えていただけだからです。手順には必然性がありません。別の言い方をすれば、身体との対応関係がないということです。だからすぐに忘れて、もう一度覚え直さなければならなくなるでしょう。

都市化が極まった国は亡びる

同書で「都市は意識の世界であり、意識は自然を排除する」ともお書きになっています。都市生活が人の意識を過剰にし、それが人を生きにくくしている面があるとお考えですか。

人間が本当に楽しめるのは、自然から与えられたものです。食事、性、眠り。それ以外はほとんど人工的なもので、それを心から楽しむことは難しいと、僕は思います。子どもたちとイベントをやる時、僕はみんなを必ず外に連れ出します。地面があって、草が生えていて、石が転がっていて、川が流れている。そんな環境のなかで身体を動かすことが楽しいし、それによって自然の感覚が戻ってきます。

極端なことを言えば、1年のうち3カ月くらいはみんな田舎で生活すればいいと思います。都市から離れてね。僕が学生時代の頃は結核に罹るやつがたくさんいました。当時は結核になると1年間学校を休んで、田舎で療養しなければなりませんでした。1年休んで戻ってくると、みんな決まって大人になっているんですよ。おそらく自然のなかでの生活が人を成熟させるということなのだと思います。

都会で過ごしてきた子どもと自然のなかで育った子どもの間に大きな違いはありますか。

小中高生が書いた作文の審査を長くやっていますが、地方の子どものほうが圧倒的にいい文章を書きます。沖縄の子が「育てていたヤギがいつの間にか晩飯になっていた」なんてことを、実に巧みに書いたりする。育つ環境によって、こうした違いはあるでしょう。

歴史を見ると、たとえば平安時代の文化は、都市生活者がつくり出していますよね。

宮廷貴族ね。でも、そんなものはごく一部でしょう。大多数の人は地方生活者です。仮にあらゆる地域が都市化されたら、その国は早々に滅びます。ローマ帝国が滅んだのは、都市化が行きすぎて人口が減ったからです。都市化は必ず少子化をもたらします。それで軍隊が維持できなくなって、北方からの侵入者たちに負けてしまった。中国だってそうでしょう。都市文化を誇った国が満州族に征服されてしまった。いまの日本も、もし外から攻められたらあっという間に滅びると思います。

自分の身体を自分で感じるということ

自然に向かい合うことは、自分の身体に向かい合うことでもあるといえそうですね。

みんな自分の身体を知るために健康診断を受けますが、結局、人間死ぬ時は死ぬんです。重要なのは、自分の身体を自分自身で知ることです。最近では、老人も自分の身体の異常の軽重を把握できなくなっています。それでやたらと病院に行くので、国の医療費がかさむわけです。

自分の身体のことは自分の感覚で把握して、自分でコントロールしなければなりません。頭でやろうとしてもだめです。血圧とか体重で判断するのではなく、痛みや不調を自分で感じなければならない。

医学よりも自分を信じなさいということですね。

もっと自分の身体に素直になりましょうということです。開業医に求められる能力が何かわかりますか。患者の症状に対する判断力です。自分のところで治療すれば治るのか、大きな病院に送ったほうがいいのか。ある意味、それがすべてです。

僕は町医者にはかかりません。ばかにしているわけではない。町医者にわかることは自分でもわかるからです。だって、具合がどのくらい悪いのかなんて、自分で判断できるじゃないですか。大したことがないのなら家で寝ていればいいし、かなり悪そうだと思えば大きな病院に最初から行けばいい。

僕は40代から糖尿の気があるけれど、治療もせずにここまで来ました。悪くなる時期もよくなる時期もありますが、いまはかなりよくなっている。何でよくなったのかはわかりません。おそらく入れ歯になって、その分食べる量が減ったからだと思います。食べすぎと、それから運動不足。そういったことから気をつけるべきですよ。

TAKESHI YORO

1937年、神奈川県鎌倉市生まれ。62年、東京大学医学部卒業。67年医学博士号取得。81年、東京大学医学部教授に就任。東京大学総合資料館長、東京大学出版会理事長を兼任する。89年『からだの見方』(筑摩書房、88年)でサントリー学芸賞受賞。『バカの壁』(新潮社、2003年)は大ヒットし、その年のベストセラー第1位を獲得したほか、新語・流行語大賞、毎日出版文化賞特別賞を受賞した。大の虫好きとして知られ、昆虫採集・標本作成を続けている。『唯脳論』(青土社、89年)、『身体の文学史』(新潮社、97年)、『遺言。』(同、2017年)など著書多数。

まさに「自然」ですね。最近は脳波計などを使って感情を見える化する研究も進んでいます。これは「自分の取扱説明書」をつくる動きといってもいいかもしれません。こうした動きについてはどのようにお考えですか。

それで自分のことがわかるなら、いいでしょう。ただ、それによって感情を一般化することは難しいです。脳科学の領域では、身体を傷つけずに脳機能の測定がいろいろできるようになってから、人の感情と脳の関係が可視化されるようになりました。その結果、何がわかったか。感情と脳の関係は人それぞれだということです。

怒っている時に反応している脳の部位はみんな違うんですよ。あるのは「怒り」という社会的現実に関する合意だけで、それ自体に根拠があるわけではないということです。猫の怒りと一緒です。猫が怒っているように見える時があって、それを僕たちは怒りと解釈しているけれど、本当のところはわからないわけです。

アフリカには喜怒哀楽に関する言葉を持たない部族がいるそうです。言葉がないということは、そうした概念がないということです。概念がなければ、行動だけが指標になります。あいつは人を殴ったから怒っている。笑ったから喜んでいる。それがすべてです。

意思決定という文化のない日本

AIが発達するに伴い、より高度な判断を任せようとしています。人間は意思決定もAIに任せるようになると思われますか。

そもそも、日本には「意思決定をする」という文化がないと僕は思います。最近、太平洋戦争の開戦の詔勅を読みましたが、とてもおもしろかった。敗戦時の詔勅は有名だけど、開戦時のものはあまり読まれていないでしょう。読んでみるとね、当時の国際情勢の分析から始まるんです。その時点で日本は中国と4年間戦っています。戦局がいっこうに好転しないのは、英米両国が中国を後ろから手助けしているからである、それを叩かなければならない、と書いてある。戦争をしたいわけではないけれど、「洵(まこと)にやむなきに至りぬ」。つまり、やむをえず、と。

敗戦時のことも僕は知っていますが、戦争責任の追及に対して偉い人はみんな口をそろえて「俺は反対だった」と言ったものです。だれも自分の意思で戦争をしたわけではなかった。では、何であんな悲惨な戦争が起きたか。やむをえず、です。

「やむをえない」という言い方は、ある意味、ものすごく客観的です。状況依存だから。会議の場に全員が持っている情報を持ち寄って、状況を判断し、「ではやむをえない」と判断する。それが日本の会議の基本的なあり方です。だから全会一致になる。

たしかに企業の中期経営計画などは、「どこかから降ってきた」という感覚でとらえている人が多いようですね。

そういう文化なんです。それでずっとうまく回ってきたんです。意思決定はしないけれど、根回しはする。それも日本の文化です。堺屋太一さんが経済企画庁の長官だった時に、役人から電話がかかってきて、「法案についてご理解いただきたいので、これからご説明にうかがいたい」と言われたそうです。堺屋さんは「俺が内容を理解していないと言うのか」と怒ったそうですが(笑)、「ご理解いただきたい」というのは、「法案に賛成しろ」ということでしょう。根回しですよ。

意思決定はせず、根回しはする。それは「共同体の論理」といえそうですね。

まさしくそうでしょうね。共同体の力は非常に強力で、そこから抜けようとしてもなかなか抜けられるものではない。本当に共同体から抜けられるのは死んでからです。死なないと完全には抜けられません。僕なんか、80歳をとうに過ぎているのに、大学の同窓会からいまも便りが届きますよ。死なないと名簿から削除してもらえない。共同体というのはそういうものです。

しかし、最近では共同体に属することを拒む人も増えているように思います。

地域や家族という共同体には属さずに生きている人が増えているということでしょう。都市化がもたらす必然です。それにはメリットとデメリットの両方があると思います。共同体の論理から自由になれるメリットはあるかもしれませんが、生きていく不安は増えるでしょう。昔は村八分というものがありました。のけ者にした相手を八分の事柄については仲間はずれにするが、残りの二分では付き合いを続ける。二分とはすなわち火事と葬式です。共同体に属さなければ、その二分もなくなります。いまはそれを保険会社が代替してくれるので、それでいいのかもしれませんが。

最後に残る共同体は何だと思われますか。

僕は虫が好きだから、虫好きの共同体のことはよく知っています。趣味でつながる緩やかな共同体。それが実はいちばんしぶとく残るのかもしれません。

しかし、共同体がなくなるということは、何も決定できなくなるということです。だって、日本人は意思決定をずっと共同体の論理に委ねてきたんだから。いまの日本は、重大な決定はすべてアメリカ任せでしょう。外圧という要因を利用しないと決められない。それがまさしく共同体が衰退していることの表れなのかもしれません。

意味を探すことを人はやめられない

今後人口が減っていけば、共同体はますます衰退していきそうです。

共同体だけではなく、日本という国が消滅に向かっているということではないですか。総務省の予測によると、2060年までに生産年齢人口は約3200万人減るといわれています。中くらいの国が一つ消滅するような事態です。人口統計の予測が外れることはまずありませんから、間違いなくそうなるのでしょう。

対策はあるのでしょうか。

最近考えられているのは、都市の中枢機能と田舎の組み合わせを全国のあちこちでつくるということですよね。いわゆる地方分散ですが、そのそれぞれに中心がある。言わば、小さな東京が全国にできるということです。

そうなると、それぞれの都市の大規模化を抑えながら、適度に田舎になります。つまり、人の生活が自然に近づくことになる。言ってみれば、東京を解体して、神戸とか福岡くらいの規模の都市を全国に散らばせるようなイメージです。人口減少を食い止めることはできませんが、国の消滅は防げるかもしれない。第一、災害のことを考えたら、東京にこれだけの人が住み続けるのはおかしなことなんですよ。どうしてみんな東京に住み続けているんでしょうね。

多くの人が人工物のなかでしか生きられなくなっているということなのだと思います。「自然にはそもそも意味はない。しかし、人は意味を求めずには生きられない」。そんなこともお書きになっていますね。

意味は人間の脳が勝手につくり出しているものですから、もともとの自然に意味がないのは当然です。しかし、人は意味を探すことはやめられない。探しながら、そのつど答えを発見していけばいいのです。それが生きるということです。

忘れてはならないのは、人は変わりうるということです。しかし、自分のどこが変えられて、どこが変えられないかについては自分ではわからない。だから、それを社会関係のなかで教えてもらうことが必要だし、自然のなかで気づいていくことが必要なんです。そういうことを理解するのが、人が成熟することなのだと思います。P

映画監督

押井 守

MAMORU OSHII

聞き手｜三菱総合研究所 未来構想センター シニアプロデューサー 藤本敦也
三菱総合研究所 経営イノベーション本部 研究員 濱谷櫻子
写真｜佐藤麻美　構成・まとめ｜二階堂 尚

つながりを求める根源的理由は人間の外側に存在する

日進月歩のテクノロジーが人間の社会を進化させる——当然とされる認識を、断固として否定するのが映画監督の押井守氏だ。人間の能力を拡張するテクノロジーが大きな飛躍を遂げつつあるいま、その技術進化の射程は人間の「他者とつながっていたい」という欲求に広がっている。しかし、人と人とがつながってもそこに幸せが存在するとは限らない。同質化の呪縛を解き、多様な生き方とそこに存在する特異性を受容する社会はどのように生まれるのか。作品に散りばめられたメタファーに、そのヒントを探る。

メタファーとしてのケーブル

映画『GHOST IN THE SHELL／攻殻機動隊』とその続編『イノセンス』では、内務省直属の組織である「公安9課」のメンバーがサイボーグ化されています。特に主人公の女性は、脳以外のすべてが「義体」と呼ばれる人工身体になっている設定です。これは、今日現実化しつつある身体拡張技術の先取りといえるのではないでしょうか。

あの作品で僕が描いたサイボーグはあくまでもメタファーであり、何か具体的な概念を表現しようと思ったわけではありません。主人公たちは首の裏にあるコネクターにケーブルを接続することで「ネット」と呼ばれるシステムにつながります。最初の作品をつくった頃は、まだインターネットが一般には普及していませんでしたが、当時ＢＢＳ（電子掲示板）と呼ばれていた草の根的なネットワークはあって、僕はそれに短期間参加していました。あまりに人間の嫌な部分が見えるのでやめてしまいましたが、その経験が作品づくりにある程度活かされています。しかし、それ以外はほとんどが妄想で、現実の技術とシンクロしているわけではありません。

ケーブルは、具体的に何のメタファーなのでしょうか。

いくつかの意味があります。ケーブルがあることで、登場人物たちは国家やシステムの操り人形に見えます。作中には「人形使い」と呼ばれるハッカーも登場します。それから、犬の首輪についているリード。これもそのメタファーで、国家による管理を暗示しています。

もう一つ、これは気づいている人は少ないと思いますが、臍の緒、つまり母体と子どもをつなぐ紐帯のメタファーでもあります。自分たちは管理される存在である、しかしそれゆえに安全である、ということです。人が最初に自我に目覚めた時に感じるのは、不安であり恐怖です。母体から切り離されてしまった、あてどなさです。だから人は常に何かにつながりたいという欲望を持っています。その欲望のメタファーが、あのケーブルです。

なぜメタファーにこだわるのですか。

メタファーを用いないと映画として成立しないから、もしくはエンタテインメントにならないからです。メタファーや妄想に基づかない映画は、往々にしてメッセージの押しつけ、あるいはプロパガンダになってしまいます。事実、映画には政治的プロパガンダとして発達してきた歴史があります。ナチスも映画を大いに利用しました。映画に関わる人は、そのような歴史に対する反省的意識を持たなければなりません。いつの世にも、リーフェンシュタール(注1)のような人が現れる余地はあるのです。

人間が持つ超人願望はパートタイム限定

作中では、人は任意に身体を替えることができて、一方ではネットにつながることで知識を蓄積していくことが可能になっています。これもまた、人間の欲望を表しているといえそうですね。

一種の超人願望ですね。真の生き方に目覚めた人間、つまりニーチェ的な意味での超人ではありません。もっと卑近な意味での超人です。強い力を持ったり、空を飛んだり、水中を自在に泳いだりできる。プログラムをインストールすれば、いろいろな知識が所与のものとなり、あらゆる言語も瞬時に身につけられる。そんな超人です。

ロボットアニメは日本のお家芸ですが、あれもまた超人願望の表現だと僕は思います。普通の人間でもコックピットに入ればたちどころにスーパーマンになってしまうわけですから。

テクノロジーが超人になることを可能にするわけですね。

ただし、オプションで超人になるということです。超人そのものに生まれ変わるのではなく、テクノロジーの力が及ぶ範囲で超人になる。ですから、生身の人間の部分は残るわけです。『攻殻機動隊』ではサイボーグ化した主人公の草薙素子も、脳自体は生身です。自分の肉体を持ちながら、パートタイムで人を超える力を得たい。生身の人間としての存在のすべてを失いたくはない。そんな欲望が、おそらく超人願望の本質なのだと思います。

最後に素子は身体を捨てて、ネットの世界のなかで生きることを選びます。

あの物語では、サイボーグであることはすなわち国家に管理されることです。システムにつながっているというだけでなく、サイボーグである身体のメンテナンスが不断に必要になるため、自分自身で身体を維持することができないわけです。サイボーグはスタンドアローンな存在ではなく、いわば国家が所有する端末にすぎない。そこから脱する唯一の方法は、身体を国家に返却することです。言うならば、自分の存在を消してしまうことです。それでも、脳だけはどこかにあるはずなんですけどね。制作過程でだれも聞いてこなかったから、そこにはあえて触れませんでした（笑）。

アニメーションはリアルの再現ではない

映画、とりわけアニメーション映画をつくり続けるモチベーションは何ですか。

幼児性でしょうね。自分の願望、自分の欲望をそのまま絵にしたいという子どものような気持ちだと思います。実写映画には俳優という他者が必要ですが、アニメーションは自分の頭のなかにあるイメージをそのまま表現できます。

登場人物の瞬きのタイミングに至るまで、すべて自分の意思通りにコントロールできます。子どものわがままがそのまま通用してしまうわけです。

注1）
レニ・リーフェンシュタール（1902－2003）
ナチス政権下で『オリンピア』『意志の勝利』などのプロパガンダ映画を制作し、独裁政権を映画界から支えた。

モノをつくる人・探求する人には、幼児性を強く残した人が多いといいますよね。

僕は学者と会って話す機会が多くて、AI、ロボット、先端物理などいろいろなテーマの話を聞きますが、彼らに共通しているのは、研究を心から楽しんでいるということです。こんなに不機嫌な世のなかに、こんなに嬉々として仕事をしている人がいるんだといつも思います。要は、子どもなんですよ。子どもの頃に抱いた疑問をそのまま抱えて大人になって、その答えを見つけるために努力したり工夫したりする。それが楽しくて仕方がないんです。

そういう人たちに会って感じるのは、自分も同じだということです。人間や世のなかを理解したいという欲求が子どもの頃からあって、その手段として僕は絵を描いたり、物語をつくったりしている。それが結果として仕事になっているということです。

仕事といっても、机のまわりはモデルガンと人形だらけ。それでもだれも怒らないし、好きな時間に働いて、始発で帰宅しても文句を言われない。自分の興味があることしかやらない。こんな仕事ほかにはないですよ。締め切りは守らないと怒られるけど（笑）。

人間の欲望に忠実な職業といってもいいかもしれません。

アニメーションは、まさにつくり手の欲望がむき出しになる職業ですよね。宮さん（宮崎駿氏）がよく「絵を描く右手と脳みそが直結している。間に思考は入らない」と言っていたけれど、つくり手のフェティッシュな感覚とか生理性がむき出しになるのがアニメーションで、しかも、具体的な「もの」は何もないわけです。すべて幻で、実体はないんです。アニメ作家は「走る」という人間のリアルな行為を再現するのではなく、自分の感覚のなかにある「走る」

MAMORU OSHII

1951年、東京都生まれ。大学卒業後、ラジオ番組の制作会社などを経て、77年、竜の子プロダクション（現タツノコプロ）に入社。スタジオぴえろ（現ぴえろ）を経てフリーに。主な監督作品に『うる星やつら　オンリー・ユー』（83年）、『うる星やつら2　ビューティフル・ドリーマー』（84年）、『機動警察パトレイバー the Movie』（89年）、『機動警察パトレイバー2 the Movie』（93年）。『GHOST IN THE SHELL／攻殻機動隊』（95年）はアメリカ「ビルボード」誌セル・ビデオ部門で売上げ1位を記録。『イノセンス』（2004年）はカンヌ国際映画祭コンペティション部門に、『スカイ・クロラ The Sky Crawlers』（2008年）はヴェネチア国際映画祭コンペティション部門に出品された。近作に『THE NEXT GENERATION パトレイバー』シリーズ全7章（2014～2015年）、『THE NEXT GENERATION パトレイバー 首都決戦』（2015年）、カナダとの国際共同作品『ガルム・ウォーズ』（2016年）がある。

というイメージを表現しているだけです。

もっとも、商業映画には「時代の欲望」というもう一つの要素も入ってきます。つまり、観客の欲望です。アンケート調査などですぐにわかる欲望は、本当の欲望ではありません。当人たちも意識していない潜在的な欲望をいかに探って、いかに言い当てるか。そして、そこからいかに自分の妄想を生み出し、一つの世界をつくっていくか――。要するに、時代性に基づいた表現がプロには求められます。

同質的なつながりによって奪われる居場所

ケーブルは「つながり」のメタファーであるという話がありました。インターネットが普及した現在では、「つながっている」ことが常態になっていますよね。

だから、つながっていない状態は恐怖であるという感覚が普通になってしまいました。これは「つながっていない存在」に恐怖心を抱くということでもあります。

つながっているということは、別にSNSをやっているというだけでなく、ほかの人たちと共有している強い実感があるということです。以前、秋葉原で無差別殺傷事件がありましたが、あの事件を起こした彼は、インターネットをやっていても社会と自分がつながっている感覚がすごく希薄だったのだと思います。犯罪者を擁護するつもりはないけれど、彼がどういう世界を見ていたかということに、僕は表現者として非常に興味があります。

彼は「つながっていない存在」だった。そのような存在を脅威ととらえるのか。それとも、存在を許容していける社会をつくるのか。許容することができていれば、彼は罪を犯さずに済んだかもしれません。

犯罪を犯すことはむろん論外ですが、「つながっていない」ことによって社会的弱者となってしまう人が今後増えていく可能性はありそうです。

たとえば、障がいのある人たち、性的マイノリティ、人種的マイノリティ。そういう人たちが現在「弱者」であるのは、「私たちは同じ人間である」という前提があるからです。「同じ人間である」という前提が強ければ強いほど、「違う」ことが許容されなくなります。逆に、「違う」ことがあたり前になれば、その違いは社会の一部ということになります。

だれもがつながっている。つながっていることはあたり前である。つながっていないのは人と「違う」ことである。だから、その人は社会の一員ではない――。そんな考え方が根づいた社会がいい社会であると、僕には思えません。

「社会的弱者」という言い方をすると、それを解決するのは政治になってしまうかもしれません。けれども、僕は表現者なので、政治とは違う方法論でそのような弱者のことを考えていきたいと思うわけです。

近代という時代は、人間の同質性を前提に成立しているともいえます。

古代においては、特異な人たちも社会の一員として尊重されていました。たとえば、巫女とかシャーマンと呼ばれるような人たちです。そういう人たちは、日常的な生産活動に参加しなくても、ハレの日に活躍することで生存が保証されていました。そのような存在が共同体には必要でした。

もちろん、差別は別の形であったわけですが、少なくとも特異性を取り上げて、それを排除しようとする考え方はなかった。特異な隣人がいる。それは社会にとって所与のことだったわけです。

では、これからの社会において、特異な人間の居場所をどう確保するか。それに僕は関心があります。僕の友人にもともと男性だけれど、自分が本質的に女性であることに気づいて性転換した人がいます。彼女の居場所はどこにあるのか。家族が認めてくれても、社会のなかで居場所を見つけるのは簡単ではありません。働く場所も限られる一方で、性転換をすると、すごくお金がかかるんですよ。女性ホルモンを打ち続けないと髭が生えてきてしまうし、胸も小さくなってしまいます。メンテナンスが必要なわけです。一緒に食事をしたりすると、ひっきりなしにトイレに行きます。それもまた性転換後の症状だそうです。

それでも、彼女は女性であることを選んでいるわけです。その彼女にも居場所はなければならない。それをどうつくっていくかということです。

僕は犬とつながっていたい

押井さんにとっての「つながり」とはどのようなものですか。

つながりにもいろいろとありますね。人間的つながりや社会的つながりなどがありますが、いまいちばん興味があるのは、動物とのつながりです。動物とつながっていたい。違う生き物とつながっていたい。人間とつながるより、そっちのほうがよほどまし。そんなふうに思っています。

僕は犬が大好きで、それこそケーブルでつながって、犬がおしっこをしたくなったら僕もしたくなる。そういうレベルでつながっていたい。そんな強い願いを持っています。そういう状態になったらはたして何が見えるのか、とても興味があります。

なぜ、動物なのですか。

人間とは、人間について考えすぎたあまり、人間のことがよくわからなくなってしまった存在である、僕は以前からそう思っていました。AIとか身体拡張とかいって、人間としての能力をどんどん拡大しようとしているけれど、それが本当に正しいことなのか。答えは、実は人間以外のところにあるのではないか。人間のなかには動物と同じ自然状態がある。その自然な部分を掘り起こしてみることが必要なのではないか――。そんなふうに思うわけです。

半魚人とか吸血鬼とか、人間ならざる人間の物語は昔からあります。僕がそういう物語が好きなのも共通する感覚です。ひょっとしたら僕のなかの超人願望はそこに結びつくのかもしれません。動物と一体化することで人間を超えたいという願望です。『攻殻機動隊』の主人公は女性ですが、女性であるということは、未来につながっていけるということです。子どもを産むことによって。もちろん、身体的に子どもを産めない女性、あるいは子どもを産まないことを選ぶ女性もいますが。

一方、男性の生は一回性です。子どもをつくっても、自分で産むわけではないし、極端な話、子どもの父親が自分である確証もありません。男性には、女性と同じ意味で子どもを産む選択肢はない。つまり、人間という種における縦のつながりをつくることが男性にはできないということです。ならば、横のつながりをつくればいい。種を超えた横のつながりをつくりたい。それが僕の願望です。

人と人とのつながりだけでは、人間は幸せにはなれないということでしょうか。

人間が人間であろうとすればするほど、階層化や格差は深刻になっていくでしょう。人間という同質性のなかで、社会的弱者はどんどん増えていくと思います。しかし、人間がほかの種とつながることができれば、そのような分け隔てはなくなっていくはずです。みんなが「半分人間」ということになれば、特異性もヘチマもありません。

テクノロジーはそちらに向かうべきです。人間と犬がつながる技術を開発すべきです。人間が生み出す技術が日進月歩で発展していて、それが人間を進化させている。それはいいんです。しかし、それが一方向にしか向かっていないことが最大の問題であると僕は思うわけです。それを「進化」というべきではありません。いい方向になんか行っていないわけですから。人間社会を本当に幸せにする進化とは何か。そのことを改めて考えてみるべきだと思います。P

アーティスト・東京大学 特任研究員

長谷川 愛

AI HASEGAWA

聞き手|三菱総合研究所 未来構想センター シニアプロデューサー 藤本敦也
写真|田中研二　構成・まとめ|渡部典子

アートとテクノロジーの両輪で
不自由さと向き合い、可能性を広げる

テクノロジーの進化は人間の生命のあり方にまで変化をもたらしつつある。同性のカップルが実子を持てる、あるいはカップルの遺伝子から誕生しうる子どもの姿が視覚化できるといった未来は遠いものではない。家族の固定観念や生命倫理に疑問を投げかけるなど、意欲的なアート・プロジェクトを推進してきた長谷川愛氏。テクノロジーが社会に及ぼす影響を考えるうえで、アートが果たしえる役割について聞いた。

生命倫理や社会通念は一握りの人が決めていいのか

長谷川さんの作品は、テクノロジーによって実現する新たな未来像を見せてくれます。作品の制作にはどのようなアプローチで臨むのでしょうか。

いままで不自由だったこと、あるいは不可能だと思われていることに対して、テクノロジーを用いて違う可能性を開いてみたらどうなるかを考えます。私の作品を通して、もう一度これまでを考え直してみると、常識とされていることが、こだわる必要のないものに思えるかもしれない。そんな気持ちで制作しています。

家族のあり方を問う作品が少なくありません。長谷川さんご自身はどのような家庭で育ってこられたのでしょうか。

私は田舎育ちですが、そこでは、女の子は結婚して子どもを産んで育てさえすれば、ほかは何も知らなくていいという男尊女卑の考え方がありました。私自身も大学で勉強するほどの強い意志はなく、むしろ私に使う学費があるなら、弟に使ってもらったほうがいいと思い込んでいたのです。ただ、手に職をつけるためにプログラミングを学ぶつもりで進んだ専門学校でいまの活動につながるメディアアートと出会い、そこから私の世界が開けていきました。

日本では女性の生殖にまつわる権利について、あまりオープンに議論できない空気があります。

たとえば、モーニング・アフターピル（緊急避妊薬）のOTC化（医師の処方箋なしで薬局やドラッグストアで購入可能にすること）は、時期尚早だとして見送られています。理由の一つに知識が足りないことが挙げられていますが、手に入らない医薬品の知識が一般化するはずがありません。

制度設計についても、ごく一部の人が勝手に決めているように思えます。2013年にイギリスから帰国したのですが、その年の11月、健康な未婚女性が将来の妊娠に備えて卵子を凍結保存しておくことを認めるガイドラインが日本生殖医学会から出されました。それまでは結婚していないと卵子の凍結はできなかったのです。卵子凍結の適齢期は35歳までといわれています。もし認可が5年遅れれば、子どもを持つ選択肢を失う人も出てきます。

その数年前からイギリスでは、未婚女性の卵子凍結の広告がファッション誌に掲載されるなどしていたため、改めて日本で認可された時に、なぜ数年の遅れがあるのか、だれがどのように決めているのかが気になりました。それを決定したボードメンバー12人のうち女性はたった1人です。社会一般の声を反映するために募ったパブリックコメントも20件に過ぎません。

当事者不在の、一部の人たちの間で決められる生命倫理や社会通念について、当事者も含めてもっと多くの人と話がしたい。それが、「(Im)possible Baby（インポッシブル・ベイビー）」という作品となりました。

展示会では、多様な分野の識者やLGBTの方などからの幅広い意見を紹介していましたが、そうした背景があるのですね。

私が用いているのは、スペキュラティヴ・デザインという手法です。簡単にいうと、デザインによって課題を解決するのではなく、未来に向けた問題提起を行うものです。多種多様なリサーチが必要となりますが、「(Im)possible Baby」の制作過程でも、科学者、法学者、LGBTなど多くの方々にリサーチを重ねました。

たとえば、同性間で子どもをつくる関連書を読むと、技術的には可能でも、生命倫理の壁があり、実現には時間がかかると書かれています。そこで、実際に2人の科学者にこの技術の導入の是非を聞いてみると、イエスとノーに意見が分かれました。興味深いのは、ノーと答えた科学者が理由の一つとして「命は本質的な人間の本性だから、率直な人間の感性も一つの重要な判断基準。宗教を信じる人になぜ神を信じるのかと問うことにも近い」と述べていたことです。これはつまり、論理ではなく、気持ちや思考停止をよりどころにした意見ですよね。技術を必要とする人が、そんな理由で使えないのだとしたら問題であり、その問題をさらに議論する、という構造が必要です。

一般的に、科学はロジカルに考えるものだと思われていますが、生命倫理となると実態は違うわけですね。

法律でさえ、ロジカルではありません。日本国憲法には「婚姻は、両性の合意のみに基いて成立し」という一節がありますが、法学者によると、昔の家制度では男性の意向が強く反映されたので、女性が不利益にならないように加えられた文言だそうです。そういう人権問題が前提だとすれば、同性間で結婚して子どもを持つことも許されるはずです。しかし、そうした権利を求めて国を訴えたとしても、勝ちめは薄いと言われました。現在の法廷は保守的だからだそうです。

ロジックではなく条件反射的に結論が下される社会で真の敵は思考停止です。それをどうほぐすか考えないといけません。

アートをどのように用いれば、思考停止をほぐせるでしょうか。

情報をそのまま伝えるのではなく、より具体的な姿にして見せたうえで、「さあ、どう思いますか?」と問うことです。たとえば、「将来、同性間で子どもをつくる技術が可能になるとしたら、どう思いますか?」と文章で問いかけられた時と、そうした技術の情報とともに、子どもを持った同性カップルの家族団らんの様子を写真で見せながら問われる時とでは、受け止め方がまったく変わってくるはずです。

相関は因果関係ではない！社会システムがつくる犯罪者

思考停止のせいで拒絶するのとは反対に、よく考えずに安易に受け入れていると感じる技術はありますか。

顔認証技術がそうかもしれません。いま、

タクシーの広告で、女性か男性かを見分けて、女性だと認識すると、女性向けの情報を出すようなやり方が用いられています。それを許していると、男女で受ける情報の分断が起こるわけですが、コントロールされているという意識は低いまま受け入れているのではないでしょうか。

アメリカの人種差別を取り上げた「ALT-BIAS GUN（オルト・バイアス・ガン）」という作品プロジェクトで、顔認識技術のリサーチをしましたが、すごく怖いテクノロジーだと思いました。たとえば、写真が5枚くらいあれば、高い確率で同性愛者かどうかが判定できるそうです。そうなると、いつのまにか同性愛者かどうかを知られてしまうことにもなりかねません。特に日本の社会はまだ、LGBTに対してフレンドリーではないので心配です。

社会的な動物である人間にとって、顔の表情は重要な情報源ですから、テクノロジーに誘導された誤用や悪用は怖いですね。

アメリカでは、丸腰の黒人男性が問答無用で警察に射殺される事件が何度も起きています。ある実験で、相手が手に何かを持っていて、それが銃であれば撃つように指示したところ、相手が白人よりも黒人の時のほうが誤射率が高かったそうです。ほかにも、偏見を持った発言をする人に、黒人の顔写真を見せると、感情をつかさどる扁桃体がアクティブになるという研究結果があります。もし警官たちが黒人に対し反射的に恐怖心を抱いて発砲してしまうのだとしたら、それは被害者だけでなく警官にとっても不幸だといえるでしょう。

そこで、「ALT-BIAS GUN」では、そうしたバイアスを前提にして、バイアスを跳ね返す、別のバイアスを内蔵した銃を考えてみました。具体的には、誤射の被害者の

AI HASEGAWA

アーティスト、デザイナー。生物学的課題や科学技術の進歩をモチーフに、現代社会に潜む諸問題を掘り出す作品を発表している。2012年、イギリスのRoyal College of Art, Design InteractionsにてMA取得。2014年から2016年秋までMIT Media Lab, Design Fiction Groupにて研究員。2017年4月から東京大学特任研究員、JST ERATO 川原万有情報網プロジェクトメンバー。(Im)possible Baby, Case 01: Asako & Morigaが第19回文化庁メディア芸術祭アート部門にて優秀賞受賞。森美術館の「未来と芸術展」(2019年11月〜2020年3月）で2作品展示。著書に『20XX年の革命家になるには――スペキュラティヴ・デザインの授業』(ビー・エヌ・エヌ新社、2020年1月）など。

顔写真を集めて特徴を導き出せば、「誤解されて殺されやすい顔」がわかるはずです。そこで銃にカメラをつけて、ターゲットとしている相手がその顔の特徴に該当する時に、3秒間引き金を引けないようにロックしつつ、「あなたはバイアスで撃とうとしていませんか?」と警告を出すのです。実際に「IDを出せ」と警官に言われてポケットを探ったら、銃を出すと勘違いされて射殺されてしまった事件もあるので、もし3秒引き金がロックされていたら、殺されなかった人がいるかもしれません。

ただし、その数秒のうちに警察官の命がリスクに晒されるという考え方も根強く、アメリカではそうした考えが重視されています。くわえて、銃にコンピュータが入ることでハッキングされるおそれもあります。そのため、こうした「スマート銃」は普及しそうにないと、私のなかで結論づけていますが、こうした思考のプロセスが「では、どうバイアスをなくすか」という前向きな議論につながっていきました。

そうやってアートで一つの可能性を示すことで、解決策の糸口や考えるべき方向性が見えてくるわけですね。

この作品プロジェクトで私がたどり着いたのは、人間のバイアスが犯罪者をつくっているのではないかということです。もし警察側のバイアスで、黒人の居住エリアの見回りを増やしたとすると、黒人の検挙率は上がります。それが続くと、黒人と犯罪率の間に相関関係が見られるようになります。しかし、この相関関係を生み出したのは人間のバイアスです。

その結果、実際にアメリカの法廷で運用されている再犯率を割り出すためのアルゴリズムで、黒人の再犯リスク判定が自動的に高くなる設定になっていることが判明して問題視されています。たとえば、白人の中年男性は前科3犯の強盗犯なのですが、再犯リスクは3とされ、近所の子の自転車を盗んだ若い黒人女性の前科は4つの軽微な少年犯罪なのに、再犯リスクは高めの8と診断された例があります。ちなみに、判決後、白人男性は再犯し、黒人女性は罪を犯していないそうです。

再犯リスクによって刑期が変わり、高いと判定された人は社会復帰がより難しくなり、よい職に就けず、貧しさから再び罪を犯すという負の連鎖にはまってしまいます。どう解消できるか、社会システムの面からも考えなければなりません。

自分のバイアスに気づかせるようなツールはあるのでしょうか。

ウェブで利用できる「インプリシット(潜在連合)テスト」というものが開発されていて、私自身もプロジェクトに着手する前に、自分がニュートラルかどうかをチェックしました。バイアスに気づき、解消することは、企業も積極的に取り組んでいます。有名な例がグーグルの採用に関するバイアス啓蒙活動です。履歴書の下の名前を消すだけでも、男女の採用率が変わってくるそうです。苗字から人種や国籍がわかることもあるので、最近は苗字すら伏せるべきではないかといわれています。

自由な発想で価値を転換し不可能を可能にする

社会を変えるために、アートの力はどのように活用できると考えていますか。

イギリスに、建築家や法律家、ドキュメンタリー映画の監督など、さまざまな人たちを集めた「フォレンジック・アーキテクチャ」というリサーチグループがあります。大きな権力による人権侵害を伴う事件が起きると、現場映像や目撃証言、写真といった情報を集め、建築で使われる3DCGなどの技術を駆使して現場を立体的に再構築し、権力側に嘘がないかを検証する取り組みを行っています。

こうした多くの人々の協働によって社会変革をもたらすことを目的とするアート活動を、ソーシャリー・エンゲージド・アートといいます。日本でも、「明日少女隊」というピンクの仮面をかぶったフェミニストのアートグループがいます。彼らは性犯罪の厳罰化などを求めてデモ活動やロビー活動を展開する、匿名性を守りたい参加女性に対して、仮面をデザインして配布するなど、アートやデザインのスキルを活かして支援しています。そんな努力もあり、110年間変わらなかった刑法が一部、現代の価値観に近づいたものに更新されました。「純粋なロビー活動のほうが効率的ではないか」「アーティストの想像力をプロパガンダのように使うべきではない」という声もあります。しかし、アーティストの才能とロビー活動の才能は同じではありません。アーティストの立場から現実問題に目を向け、想像力を働かせて、別の世界や別の自由、別の思いもしなかったアプローチを描き、現実と想像力の両者をつなげる努力を地道に行っていくしかないと思っています。

また、倫理の壁を破らないと、テクノロジーはあっても自由に使えません。未来のビジョンを描いて見せたうえで、こんな使い方ができるのではないかと提案する。そうやって、技術とアートが社会変革の両輪になればいいと思います。

リサーチをして現状を反映させた作品でも、数年後には、外部環境が大きく変わっていることもあると思います。

2011年の「Shared Baby（シェアード・ベイビー）」という作品は、遺伝的に3人以上の親を持つ子どもが実現したら、子育てがどう変化するかを考えてみたものですが、当時はそれを可能にするテクノロジーが見当たらず、リサーチが止まっていました。その後、数年して、革新的なゲノム編集技術「CRISPR-Cas 9（クリスパー・キャス・ナイン）」や、万能性を持つ細胞から精子や卵子をつくる研究が登場するなど、実現に向けた可能性が具体化してきました。

そうした技術のアップデートがある一方で、本質的に人間の文化はなかなか変わらないとも感じます。表面的なカルチャーは変わっても、女性の社会的地位は200年経っても、大きく変わっていません。

未来を予測する時には、どんなアプローチを取るのですか。

リサーチの範囲として、未来についてはSF作品を見ます。おもしろいSFは善悪の基準など、現在当然と思われている価値観の転換が上手に表現されています。

私は落語、歌舞伎、オペラ、バレエなどが好きなのですが、こうした古典作品から、時代や土地柄の違いによって、人間のどこが変わり、あるいは変わらないか、「人間の核となる習性」を学ぶことができます。時代を経ても、人間の喜怒哀楽はそう変わらないので、技術や文化による人の行動の変化を注意深く観察すると、核となる習性が見えてくるのです。それがわかれば、この技術が生まれて、こんな世界になった時に、人はどんな考え方や行動をするか、想像がつくようになります。

ただ、未来を思い描く時に要素を詰め込みすぎると、全体像がぼやけてしまうことがあります。それよりも、焦点を合わせるべき部分だけを変えて、それ以外は現状のままに描いたほうがうまくいきます。

最後に、「アート視点で考えよう」が最近の流行りのように感じます。それについてはどうお考えでしょうか。

よいことだと思う一方で、リベラルアーツが教育として浸透していないことの表れではないかとも感じています。アーティスト仲間と話していて刺激になるのは、みんないろいろな場所に行き、体験をして、世のなかにはたくさんのおもしろさや幸せ、怒りがあることを教えてくれるところです。だから、旅をするのもいいでしょう。

あとは本を読むこと。本は他人の視点で物事をたどる、感情も含めたバーチャルリアリティでもあるので、そういった小説などを読み、他人の感情や視点をインプットするのも効果的だと思います。 P

Special Report

三菱総研フォーラム2019

鼎談

「人間拡張技術による未来社会」

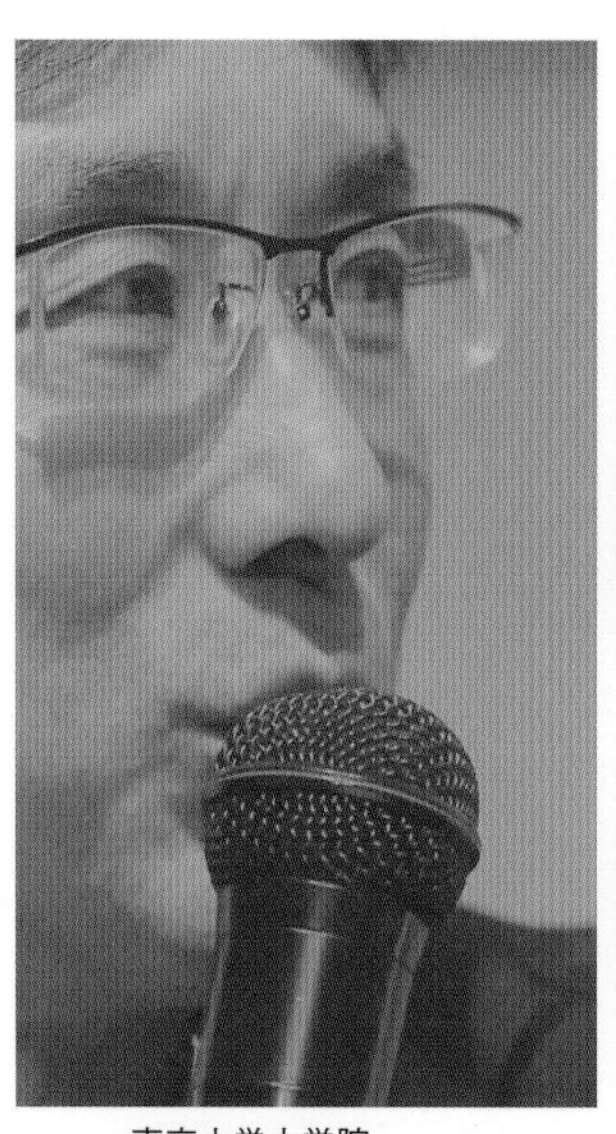

東京大学大学院
情報学環 教授
佐倉 統

三菱総合研究所
理事長
小宮山 宏

産業技術総合研究所
人間拡張研究センター 研究センター長
持丸正明

2019年11月19日、ロイヤルパークホテル（東京・日本橋）で、三菱総研フォーラムが開催された。三菱総合研究所では、今年9月に迎える創業50周年の記念事業として、「『100億人・100歳時代』に豊かで持続可能な社会」の実現に向けた未来構想提言研究「M50研究」を進めている。人類未踏の社会を迎えるに当たり、人の知能や身体能力を高める人間拡張技術への期待は大きい。一方で社会実装に向けての課題は多い。技術の進歩が人、社会、産業に与える影響について、人間拡張技術の第一人者である持丸正明氏、進化学を専門とする佐倉統氏、三菱総合研究所理事長の小宮山宏により、多面的な視点からディスカッションが行われた。その模様を誌上で再構成してお届けする。

司会｜三菱総合研究所 未来構想センター シニアプロデューサー 藤本敦也

人と技術の境界線がぼやける未来

佐倉　社会と技術は言わば一つの生態系にあり、ある変化が予期せぬところに悪影響を及ぼす可能性を秘めています。アメリカの技術史家コーワンが喝破したように、家事労働の機械化により、主婦はむしろ忙しくなりました。洗濯機の登場で一度に大量の洗濯が可能になりましたが、そのことで、着替えの間隔が短くなり、洗濯量はもちろんのこと、干す作業やアイロンがけの負担が大幅に増加したためです。技術によっては、社会格差の拡大や差別を生むことも考えられます。研究や開発は慎重に進めるべきです。

それでも、これまでは人間と人工物の主従関係は明確でした。ところが、AIロボットのように自律的に振る舞う人工物が出てきたことで、その線引きがはっきりしなくなってきています。技術が環境を変えるだけでなく、環境と一体化して、人間の行動を決めるようなことが起きています。人間拡張技術を考えるうえでは、この点が重要です。技術をいかに手なずけて有用なものにするか。「技術の家畜化」は、これからの大きなテーマになるでしょう。

以上のことから、「新旧の技術の違い」「人と技術の共生システムのあり方」「人工物は敵か味方か」の3点を論点として提起したいと思います。

藤本　では、最初の論点「新旧の技術の違い」はどこにあるでしょうか。

持丸　人間拡張という観点で見ると、環境の個別化技術の進展が指摘できます。たとえば、この講演も皆さんがAR（拡張現実）ゴーグルをつけていれば、自分の好きなように壁の色を変えられます。これまで共有物として受け入れていた環境を、個人の好きなように変えられるということです。

従来はメガネなどウエアラブルな装置は身体側の機能に働きかけるものでしたが、現在は環境側を知能化して、個人に働きかけできるようになっています。佐倉先生のお話にあったように、個人が環境をコントロールしているのか、環境にコントロールされているのか、境界が不明瞭になってきています。

佐倉　人と技術の一体化も、最近の技術の特徴です。ブレイン・マシン・インターフェース（BMI）や人工内耳のように、人間の内部に入り込んでいく技術が増えて、かつて工学が想定していた人工物を超えた領域に入っています。人との関わり抜きの技術開発はもはや考えられなくなっています。

持丸　フィジカルとサイバーの境界も同様です。人間拡張技術が進展すれば、今日のこの場もサイバー空間に移り、それで十分な臨場感を得られるようになるかもしれません。良くも悪くも、サイバー空間上の自分のコピーが活動の中心になるようなことも起こりうると思います。

小宮山　いまの技術の特徴としてもう一つ指摘しておきたいのは、研究開発のスピード感です。技術の進歩に人間側がついていけなくなっていて、未来予測が困難になってきています。10年後には、不老の技術が発展して、病院は病気を治すところではなく、健康産業に変わっているかもしれません。

技術ではなく人間の意志が未来を決める

藤本　次に「人と技術の共生システムのあり方」についてお聞かせください。

佐倉　まずフィジカルとサイバーの境界がなくなることで、人間の身体性の価値がよけいに高まると思います。AIを例に取ると、囲碁のようにアルゴリズムだけで対処できるものについては人間の能力を圧倒しますが、AIロボットに人間と同等の身体性を持たせるのは、技術的に相当難しいことです。

ですから、アルゴリズムで容易に対処できる領域はAIが担い、身体性に関する領域は人が担うというように、ポジティブに役割を分担したほうがいいでしょう。AIを無理に人に寄せる意味はないと思います。

持丸　同意見です。冒頭のお話にあったように、AIに身体性を持たせるより、技術を家畜化するほうが重要です。

ただし、そこにも悩ましい問題があり、たとえば、だれかのエンゲージメントを高めるためにAIを利用しようとすると、AIを使う側の人と、AIによって行動を変えられる側の人が出てきます。「技術を家畜化する人」と「技術で家畜化される人」という社会的二層構造が生まれることになります。

小宮山　歴史学者のユヴァル・ノア・ハラリは、著書『ホモ・デウス』で、技術を駆使する特権的な支配層と、彼らに利用される奴隷のような人々に二極化する暗黒社会を予言しています。一部の人が超人的な能力を獲得して、新たな格差が生まれる可能性はあると思います。もちろん、働かなくていい世のなかになるなど、明るい未来も考えられます。

どちらの未来に向かうかは、結局のところ人間の意志次第です。ただし、その未来は100年後ではなく、10年後かもしれない。そうした岐路にいま、私たちは立たされていると思います。

佐倉　私はそもそも「支配層が技術を100％使いこなせる」という仮定に懐疑的です。たとえばAIのアルゴリズムには、何らかのバイアスがありますが、通常、アルゴリズムは公開されないため、支配層にとっても未知の部分が残ります。自分の都合のいいように手なずけるのは容易なことではないでしょう。また、被支配層が別の技術を使って対抗することも考えられます。

そう簡単に二極化はしないと思います。

小宮山　両極しかない多様性のない社会は退屈だし、新しいものが生まれません。技術は多様性を確保する方向に進化させていくべきです。ただし、それもやはり人間の意志に左右されます。

佐倉　そもそもいまのＡＩは、データが蓄積されていくほど産出物の多様性が失われていきます。突然変異的に新しい発想や表現は生み出せません。直感的なアイデアや新しいものを生み出す力は、現状ではＡＩより人間のほうが優れていると思います。

持丸　多様性の確保のためには、技術開発にユーザー発想を採り入れることが一つの解決策だと思います。ユーザーとの「共創（コ・クリエーション）」が、つくり手の意図を超えた多様性を育む土壌になると思います。

藤本　さまざまな意見が出ましたが、結局のところ、人工物は敵でしょうか、味方でしょうか。技術の悪影響を排除するには、開発時にどんな点に注意すべきでしょうか。

持丸　開発者に問題のすべてを予見することはできません。そのため、開発段階から専門家以外の人の意見も聞き、広い視野から効果や問題点の把握に努めるようにしています。それでも、発見できない問題は残ります。最終的には技術なり、人工物なりを社会に送り出してみて、問題が発見されたところで対処するしかないのが現状です。

産業技術総合研究所
人間拡張研究センター
研究センター長
持丸正明
MASAAKI MOCHIMARU
1993年、慶應義塾大学大学院博士課程 生体医工学専攻修了。博士（工学）。同年、工業技術院生命工学工業技術研究所入所。2001年、改組により産業技術総合研究所デジタルヒューマン研究ラボ、副ラボ長。2015年より産業技術総合研究所人間情報研究部門、部門長。2018年11月より同研究所人間拡張研究センター、研究センター長。消費者安全調査委員会・委員長代理（2014年～）、ISO TC324国際議長（2019年～）。

小宮山　いまの技術の特徴を物語っているご発言だと思います。一つひとつの技術はそれほどのものではありませんが、複数の技術を組み合わせると、驚くようなことができてしまう。見方を変えれば、それだけ開発段階で問題を予見するのは難しくなっています。

　そこで大切なのは、特に技術の「前提」について、専門家以外の人も交え議論を行うことです。技術の中身については専門家に任せるしかありませんが、専門家ほど技術の「前提」について話し合いません。疑うまでもないという固定観念があるからです。

　１９９４年にロサンゼルス大地震が起きた時、「日本では絶対に高速道路の崩落は起きない」と多くの専門家が信じていました。しかし、翌年の阪神・淡路大震災で高速道路があっけなく倒壊しました。これもリスクを予測する際の前提が間違っていたためです。

　優秀な専門家が前提を疑わずに突き進むのは危険です。専門外からも人を招き、ゼロベースで思い切った議論をしていくことが不可欠でしょう。

佐倉　一方で、専門家と非専門家が顔を合わせるだけでは、なかなか生産的な議論に発展しにくい面もあります。両者の間にどのような議論の場や制度を確保するかが課題です。

小宮山　その役目を担わなければならないのが、大学やシンクタンクです。ある程度の知識や理解があって、ファシリテーターとして機能していくことが求められます。

持丸　ただ、その前提を企業の経営者が握ってしまっている場合もあります。コンビニエンスストアの商品補充にロボットを使うという試みを考えてみてください。１００％自動化するのは難しいので、遠隔操作のオペレーターが必要になりますが、特別なスキルは不要のため、低賃金の国で人材を確保し、高速ネットワークでつないで操作させようという発想が生まれます。経営の効率化という面では正しく、法的にも問題はなくても、研究者としては違和感をぬぐえない。社会全体で議論を尽くす必要があります。

佐倉　ヒトゲノム計画が立ち上がった１９９０年代に研究倫理の重要性がクローズアップされ、さらに最近では研究者自身が研究開発段階から責任を持つ「レスポンシブル・リサーチ（責任ある研究）」という規範が広まっています。ただ、お話しいただいたようなケースでは、研究者一人の力で問題を解決するのは無理です。やはり、どれだけ多様なステークホルダーがそこに関わって、多様な価値観で議論できるかが大事ではないでしょうか。

人間拡張技術の分野で世界のトップを走るために

藤本　人間拡張技術における日本の強みは何でしょうか。

持丸　中国や韓国に追い上げられているとはいえ、家電から車まで、これだ

三菱総合研究所 理事長
小宮山 宏
HIROSHI KOMIYAMA

1967年、東京大学工学部化学工学科卒業。1972年、同大学大学院工学系研究科博士課程修了。1988年、東京大学工学部教授、2000年、工学部長、大学院工学系研究科長、2003年より副学長などを経て、2005年4月～2009年3月、第28代総長を務める。2009年4月、三菱総合研究所理事長に就任。化学工業会学会賞（2003年）、イタリア連帯の星勲章（2007年）、「情報通信月間」総務大臣表彰（2014年）、財界賞特別賞（2016年）、海洋立国推進功労者表彰（2016年）、ドバイ知識賞（2017年）ほか。

け多くのタッチポイントを産業として持っているのは日本だけです。これは大きな強みです。さらに日本は少子高齢化や防災などの先駆的な社会課題を抱えています。これらを活かせば、サイバー分野で先を行くアメリカや中国、モノづくりに傾倒するドイツなどとは違った、「生活」にフォーカスした新しい産業を生み出せると思います。

小宮山　技術を特定の人のためでなく、広く人や社会に役立てようとするのも日本の強みでしょう。日本人の自然との関わり方を見てもわかるように、対峙・支配するのでなく、調和・共生する文化が根づいています。技術についても同様です。

佐倉　たしかに、キリスト教文化圏に比べて、日本には機械や人工物を友だちのように受け入れる文化があります。介護ロボットやフレンドリーロボットの開発も盛んですし、自分でゴミを拾えずに人の助けを促すゴミ箱ロボットなど、あえて「できないこと」を搭載することで、人とコミュニケーションを図る「弱いロボット」を研究されている先生もいます。日本の人工物社会、ロボット社会を構築していくうえで、こうした日本文化の持つインターフェースは大きなヒントになりそうです。欧米とは違った新しいモデルが日本から誕生する可能性もあるでしょう。

藤本　日本の産業界には何を期待しますか。

持丸　人間拡張技術はインテグレーション型ですから、複数かつ多様で小さなイノベーションを重ねるとおもしろいことが起こります。ビジネスとしてユーザーに提供するのはそのおもしろいこと、すなわちシステム自体ではなく、システムが生み出すサービスです。

　となると、ビジネス面の成否は技術開発、サービス提供、データ管理、顧客まで含めたビジネスエコシステムの構築がカギを握ります。金融機関なども加え、資金の流れもつくっていかなくてはなりません。そう考えると、一つの大きなポリシーで他分野の企業体がつながる企業系列の存在は大きな強みです。日本型企業系列を、いまこそ積極的に活用していくべきでしょう。

小宮山　私は「防災レジリエンス」の領域で日本企業に大きな期待をしています。世界じゅうで異常気象が猛威をふるうなか、インフラの強化は重要課題です。人間拡張技術同様に、技術の集大成ともいえる分野ですから、ぜひ日本の底力を発揮してほしい。

佐倉　私は経営者の方々に、株主への利益還元や株価アップだけでなく、もっと広い視野での価値創造に目を向けてほしいと思います。もちろん収益は大事ですが、その基礎を支える社会が崩れたら元も子もありません。防災はその典型ですが、社会を支えることに少しでも資源を投入してほしい。そう切に願っています。

藤本　最後に、三菱総研50周年研究（M50研究）への期待をお聞かせいただけますでしょうか。

持丸　人間拡張について、技術面だけでなく社会面も含めて考察している点に強く賛同しています。最近の言葉では、公益資本主義というのでしょうか。会社は株主だけでなく従業員、社会、顧客、取引先すべてのものです。そこに価値を見出していかなければ、社会と長く共生できません。ぜひ、そんな側面も含めた研究をお願いします。

佐倉　キーワードの一つは「ウェルビーイング」だと思います。単に儲かるなど量的な話だけでなく、質の部分でどう充実させるか。多様な価値を包摂する技術開発が大事だと思います。

藤本　ポスト資本主義や日本型ウェルビーイング、人と人とのつながりの未来などは、まさに私たちの研究テーマでもあります。本日はありがとうございました。 P

東京大学大学院 情報学環 教授
佐倉 統
OSAMU SAKURA

1990年、京都大学大学院理学研究科博士課程修了。理学博士。三菱化成生命科学研究所、横浜国立大学経営学部、フライブルク大学情報社会研究所を経て、現在、東京大学大学院情報学環教授、理化学研究所革新知能統合研究センターチームリーダー。2015～2018年、東京大学大学院情報学環長。もともとの専攻は進化生物学だが、その後、科学技術と社会の関係についての研究考察に専門を移し、人類進化の観点から人間の科学技術を定位する作業を模索継続中。

菱総合研究所
ルスケア・ウェルネス事業本部 主任研究員
谷口丈晃

三菱総合研究所
ヘルスケア・ウェルネス事業本部 主任研究員
池田 佳代子

三菱総合研究所
ヘルスケア・ウェルネス事業本部 主任研究員
藤井倫雅

三菱総合研究所
ヘルスケア・ウェルネス事業本部 研究員
中村弘輝

Illustration｜アフロ

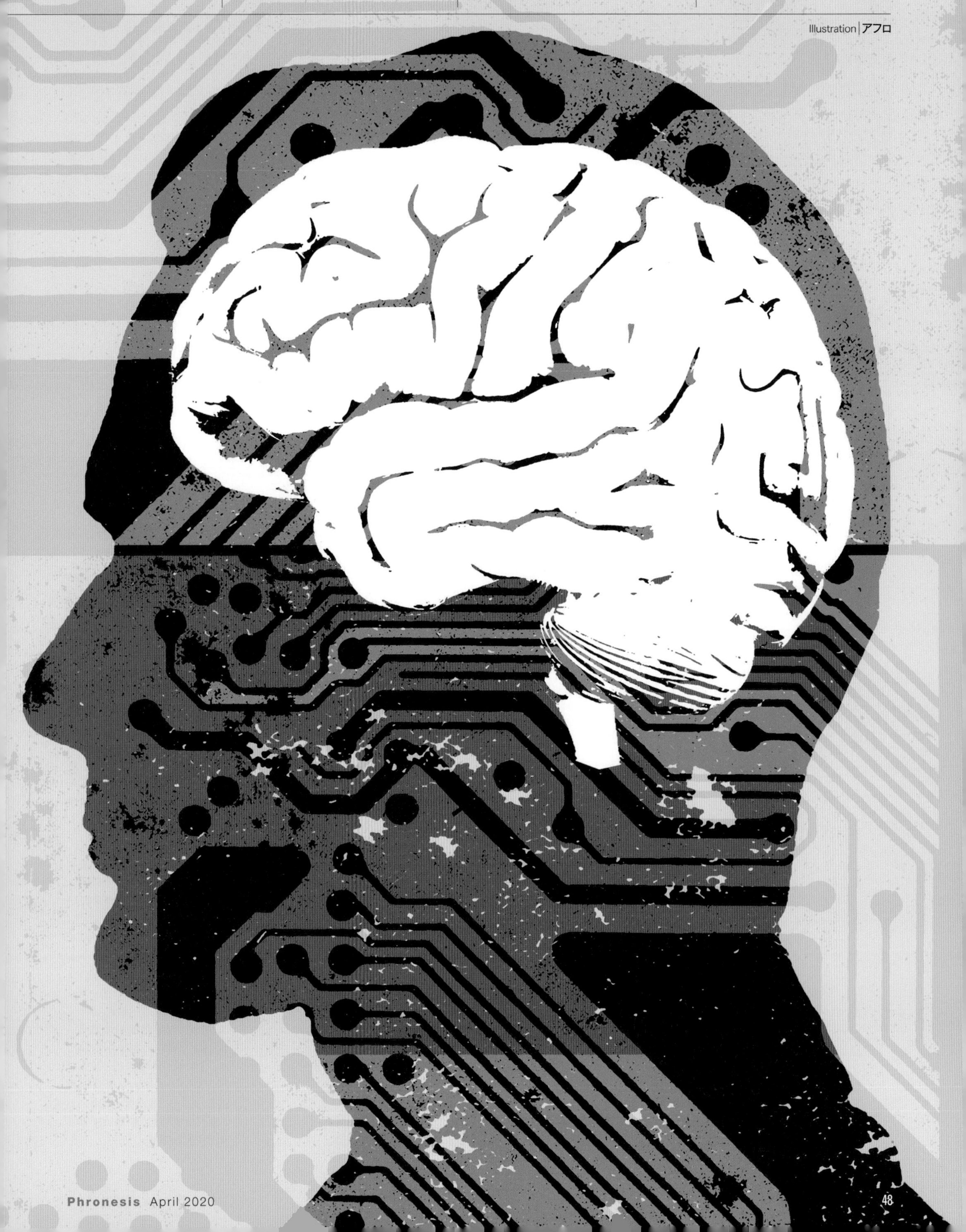

MRI Perspectives

どんな病気でも治せるようになったら

病気は人生における大きなストレス要因であり、リスク要因である。もしどんな病気でも治せるようになれば、寿命が延びるのはもちろん、健康に気を使う必要がなくなり、毎日をより自由に生きられるようになるかもしれない。ただし、そうした世界を実現するには、いくつもの越えなければならないハードルが控えている。医療技術の進化を追い求めるだけでなく、社会制度の見直しも同時に進めていく必要がある。

歴史上最速の人類と病気の闘い

人類と病気との闘いは、人類の歴史そのものといってもよい。いまから170万～180万年前に現在のインドネシアに暮らしていたジャワ原人（ホモ・エレクトス・エレクトス）の化石からは、結核が悪化して膿を持っていた痕跡が発見されている。

古代エジプトでは高度な医学が発達し、紀元前2750年には歴史上最初の外科手術が行われたという記録がある。パピルスに記された医学知識やミイラの研究などから、がんや糖尿病、動脈硬化、胃潰瘍、心疾患、気管支喘息、痛風など、現代人と同じ病気を患っていたことがほぼ確実と考えられている。とはいえ、まだこの時代は神官と医者に明確な区別はなく、医療処置には神がかり的な要素が含まれていた。

医学を宗教や呪術から切り離し、病気は環境や食事、生活習慣が原因と考えた最初の人物は古代ギリシャの医者、ヒポクラテス（紀元前460～370年頃）だといわれている。

このように神に祈る治療から、科学的な視点で人体を診察して治療を行うようになるまでに、長い年月を要している。さらに一つの病気の克服には、途方もない年月が必要とされた。

たとえば、天然痘は紀元前より世界じゅうで死に至る病として恐れられ、古代エジプトのファラオ、ラムセス5世（紀元前1100年頃）のミイラの顔面にも、病変によると思われる痕跡が見られる。

日本でも737年に平城京で天然痘が大流行し、100万〜150万人が感染により死亡。政権の中枢にいた藤原四兄弟も相次いで亡くなっている。聖武天皇が日本各地に国分寺や奈良の大仏を建立する契機となったのは、よく知られるところだ。その後も明治、大正時代までに幾度かの流行があり、第2次世界大戦後の1946年にも1万8000人ほどが発症して、約3000人が死亡している。もちろん、日本だけでなく、世界で猛威を振るい、1770年のインドでは、300万人が死亡したという記録がある。

天然痘が撲滅に向かったのは、1796年にイギリスの医師がワクチンを発明したことによる。日本にも、1849年に痘苗（とうびょう）がもたらされ、ワクチン接種の普及とともに患者数は減っていった。インド半島やインドネシア、ブラジル、アフリカ中南部などは普及が遅れ、長きにわたって苦しめられたが、1958年に世界保健機関（WHO）が世界天然痘根絶計画を立案。ワクチン接種と封じ込め対策を推進したことで、1977年のソマリアにおける患者の発生が最後となった。ワクチンの発明から数えても、撲滅までに実に180年以上の歳月を要したことになる。

ところが、近年における医療技術の進化のスピードはすさまじい。病気のメカニズムの解明が進んでいることもあるが、医療機器の高度化や、情報の共有化を支えるハード面の進化も大きい。心筋梗塞や狭心症などの治療で行われる「冠動脈インターベンション」もその一例だろう。

この治療法はカテーテルを太ももの付け根などにある動脈から差し込み、異常のある心臓の冠動脈まで到達させた後、カテーテルの先につけたバルーンを膨らませることで、狭窄した血管を広げるものだ。1977年にスイスの医師が世界で初めて成功するまで、胸部を切開して行う冠動脈バイパス手術しか治療の選択肢がなかった。それが、1980年代後半にはバルーンを拡張させるだけでなく、血管内に金属製のステントを留置して血管を強化する方法が発明され、さらに2000年代には、薬剤溶出性ステントが開発されるなど、短期間に著しい発展を遂げている。

日本人の2人に1人が罹患するといわれている「がん」についても、早期発見や外科手術の技術向上はもとより、重粒子線治療やオプジーボなどの免疫チェックポイント阻害薬による免疫療法、がん光免疫療法など、新たな治療法が続々と開発されている。また、がんゲノム医療の発展は目覚ましく、患者の遺伝子をゲノム検査にかけ、個人個人に合ったオーダーメイドな薬の選択が可能になっている。医療の進化により、「がん＝死」ではなくなってきている。実際、図表1の通り、がんと診断された人の10年後の生存率は、2002〜2005年に診断された人が56・3％、2001〜2004に診断された人は55・5％となっていて、わずか1年で0・8％も生存率が高まっている。特に2000年あたりから急

図表1｜**がんの10年生存率の推移**

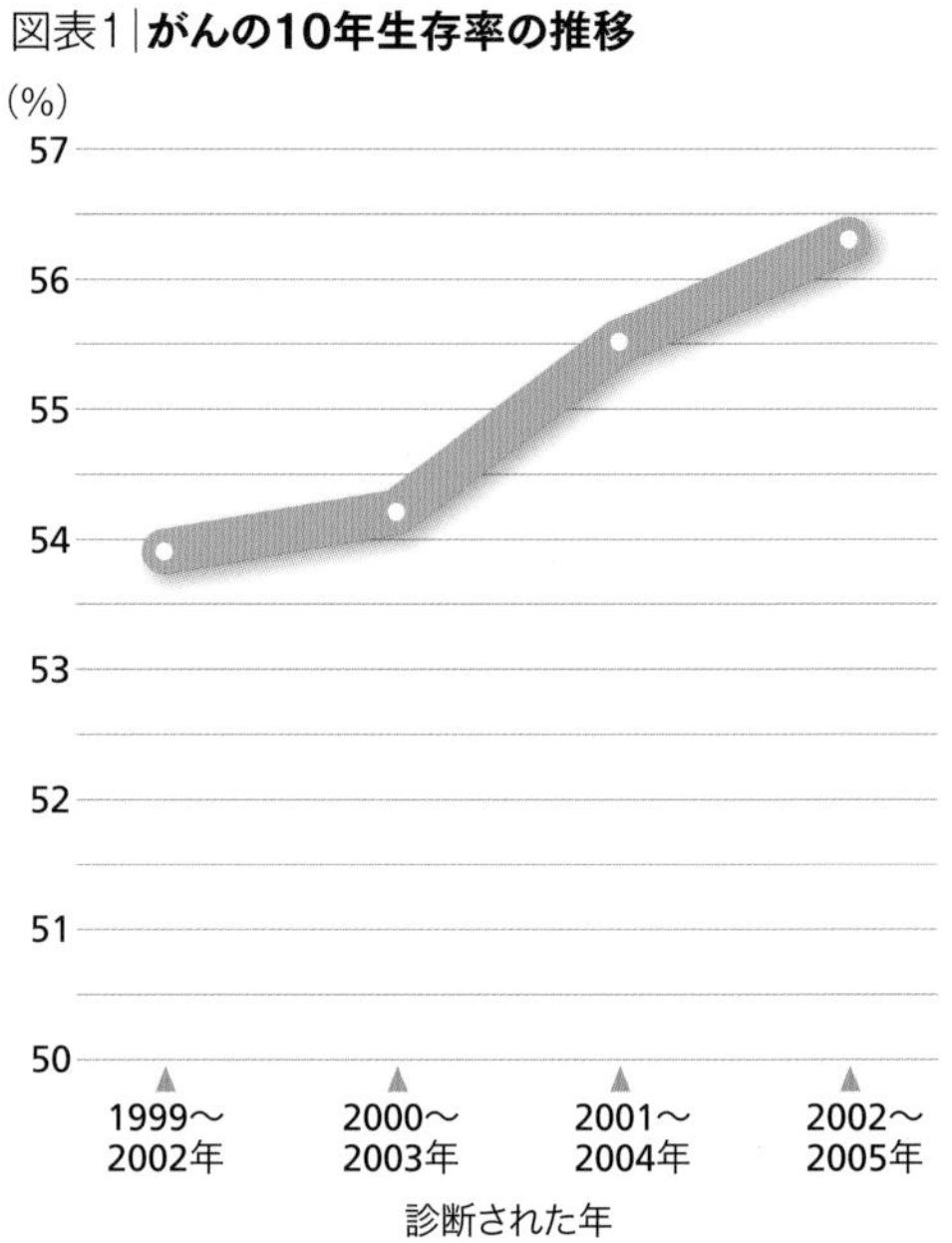

出所：国立がん研究センター

上昇しており、がんを克服する日もそう遠くないのかもしれない。

本パートでは、こうした最新の医療技術の横顔を紹介するとともに、病気の克服が未来の社会にもたらす変化について考察していきたい。

未来の医療を支える最新研究・技術

まずは、今後の治療技術の柱になると思われる「損傷した臓器の再生」「エネルギーの蓄積・代謝のコントロール」「デバイスを用いた機能の代替・修復」の3つの分野における研究・技術について注目していこう。

損傷した臓器の再生

厚生労働省が公表した「2018年人口動態統計月報年計（概数）」によれば、日本人の死因は第1位「悪性新生物（がん）」、第2位「心疾患」、以下「老衰」「脳血管疾患」「肺炎」と続く。第1位のがんと第2位の心疾患で、死因の42・7％を占める。

がんについては転移の問題もあり、臓器移植などにより新しい臓器に入れ替えれば治癒するという単純なものではないが、治療の選択肢が増えることで得られる効果は大きいはずだ。これまでであれば、全摘するしかないようなケースでも、臓器の入れ替えができれば、術後のＱＯＬ（生活の質）を高めることも可能になるだろう。

そもそも、病気とは臓器や神経、血管などの損傷により、本来の機能を発揮できなくなった状態と考えられる。もし車のように、傷んだ部品を簡単に交換できれば、治せる病気も増えるだろう。

一方で、臓器移植に関してはドナー確保の問題があり、移植治療を受けたくても受けられない患者が数多く存在する。2014年9月、世界に先駆けて日本でiPS細胞を用いた移植手術が行われたが、移植用臓器不足を解消しうる、これら再生医療の研究に対する期待は大きい。

ただし、新しい医療技術であるため、安全性の確保などについては法整備も含めて今後の課題も多い。

ここでは臓器作製・再生の技術として、3つの事例を紹介する。

新技術事例1 バイオ3Dプリンターによる臓器作製

ドナーからの臓器提供を待つのではなく、新しい臓器をつくる技術研究が進んでいる。2019年4月にイスラエルのテルアビブ大学、タル・ドビル教授らの研究チームが発表したのは、バイオ3Dプリンターを使って人間の細胞や生体物質を素材として試作した人工心臓だ。血管や心房、心室などが備わった人工心臓の作製は世界初という。

患者自身の細胞や生体物質を使って人工心臓をつくれば、移植時の拒絶反応を抑制できるメリットもある。

もちろん、実用化にはさらなる研究が必要で、今後は動物への移植実験などを行う必要があるが、重度の心臓疾患をはじめ、移植しか治療方法のない患者の多くは、ドナーが現れるのを待つしかないのが現状である。治療法はあるのに治療できないという移植医療のジレンマを解消する手立てとして、この人工心臓が突破口となる可能性もある。

サイフューズのバイオ3Dプリンター（70ページに詳細記事）

一方、これに先立ち、2018年12月、アメリカ・サンフランシスコの3D組織プリンティング会社Prellis Biologicsは、生存可能な毛細血管を持つヒト組織を3Dプリンターによって高速度でプリントすることに成功した。

これまでは毛細血管を持つヒトの臓器を1立方センチメートルプリントするのに数週間以上かかっていたが、この新技術では、適切な位置に毛細血管がある高分解能組織構造を、1000倍もの高速でプリントすることを可能にしたという。

このプリント速度は重要である。細胞は血流のない状態では、限られた時間しか生存できないためだ。毛細血管から酸素や栄養が補給されなければ、30分足らずで死んでしまう。

Prellis BiologicsのCEOであるメラニー・マシュー氏は「この技術は機能器官の移植に道を開くものである」と述べ、「究極目標は腎臓の全血管系を12時間以下でプリントすることである」と語っている。

新技術事例❷ 胚盤胞補完法による異種間臓器作製

iPS細胞やES細胞などを用いて試験管内で細胞から臓器をつくる研究が進んでいる一方で、胚盤胞補完法という種が異なる動物間で臓器を再生させる研究も行われている。

免疫細胞をつくることのできない受精後まもないマウスの胚（胚盤胞）に、正常なマウスのES細胞を注入したところ、注入されたES細胞に由来する免疫細胞がつくられた。ほかのマウスの細胞が基のマウスの生体機能を補完したのである。これが異種間で可能となれば、将来的にはヒツジやブタなどの大型哺乳類の胚盤胞にヒトのiPS細胞を注入して、動物の体内でヒトの細胞から成る臓器をつくることができるかもしれない。動物の体をヒトの臓器を製造する試験管代わりにするわけである。

異なる遺伝子型の細胞や異種の細胞から構成される個体をキメラというが、それまで異種間のキメラをつくるには、いくつか解決しなければならない問題があった。そこで2010年、膵臓をつくることのできないマウスの胚盤胞にラットのiPS細胞を注入したところ、マウスの体内にラットの膵臓がつくられ、第一段階がクリアとなった。

医療への応用を考えるとほかにもいくつか段階があり、①特定の臓器をつくることのできない大型哺乳類をつくる、②大型哺乳類（同種間）での胚盤胞補完法の実施、③大型哺乳類の胚盤胞に注入しても機能するヒトiPS細胞の樹立、④ヒトと異種生物間でのキメラの作製（図表2）、そしてこれらの行為についての倫理的な問題の解決が必要になる。

現在は②まで研究が進み、倫理面を考慮しつつ、③のiPS細胞の研究が行われている。ただし、倫理的なハードルは高く、日本でヒトの臓器を持つ動物の産出が認められるようになったのは、2019年3月以降のことである。アメリカでも2015年9月から2016年の8月初めまで同研究への助成が禁じられていた。

新技術事例❸ ダイレクトリプログラミングによる臓器の直接再生

図表2｜胚盤胞補完法による動物を使ったヒトの臓器の作製イメージ（ラットの体内でヒトの膵臓をつくる場合）

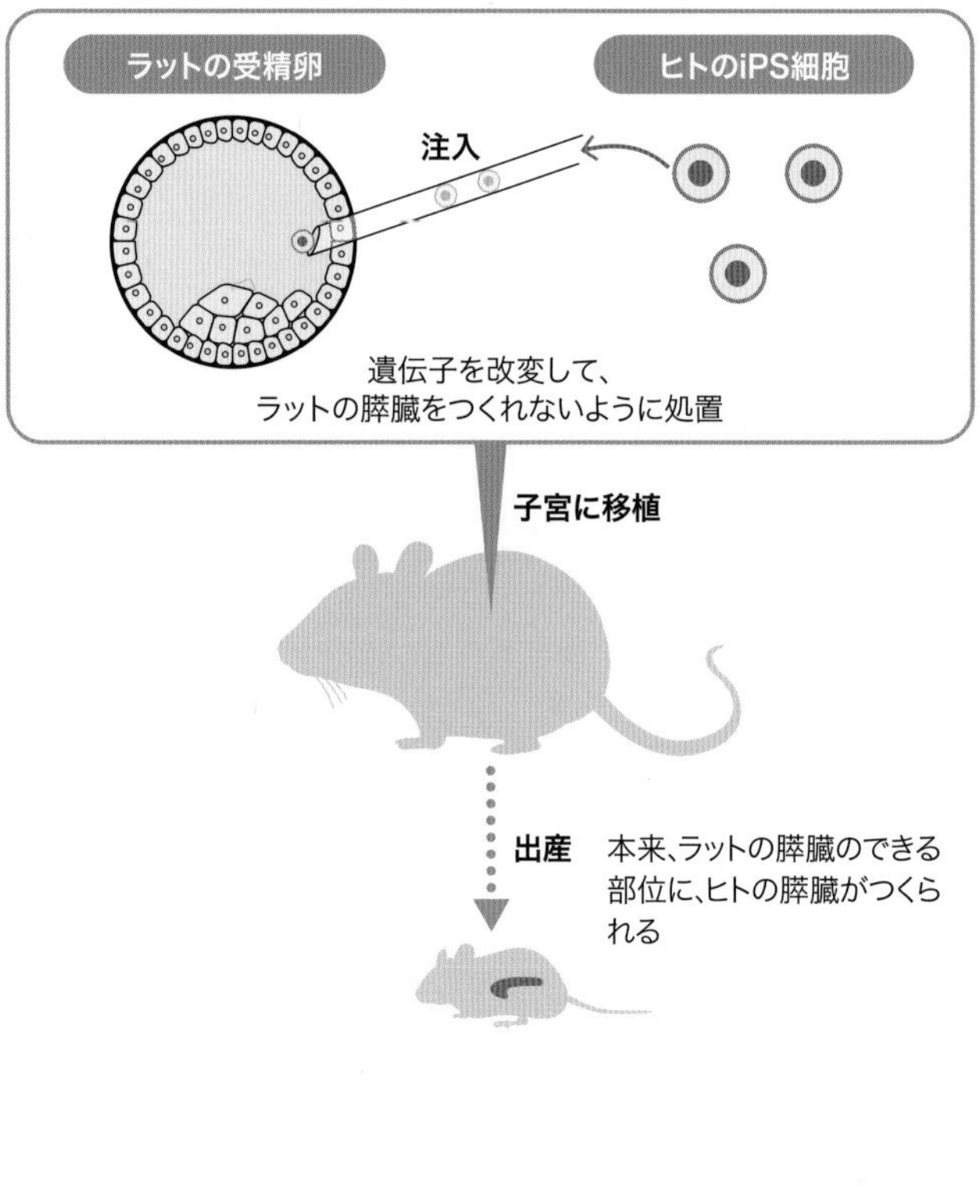

これまで一度分化した細胞は元の未分化な細胞には戻れないと考えられてきた。しかし、近年の研究で、特異的な分化のカギとなる転写因子群を導入することで、iPS細胞のような多能性幹細胞だけでなく、体細胞からでも心筋や神経などさまざまな分化細胞を誘導できることがわかってきた。

このように、体細胞から多能性幹細胞を経ずに特異的な分化細胞に誘導することを「ダイレクトリプログラミング」と呼ぶ。現在はこのダイレクトリプログラミングを生体内で行う再生医療技術も開発中で、たとえば心臓の非心筋細胞を直接生体内で心筋に転換して、心臓再生を目指す研究が行われている。

生体内でのダイレクトリプログラミングが実現すると、細胞を取り出して培養するのにかかっていた時間などの手間や設備が不要になる。コスト削減の面でも、与えるインパクトは大きいだろう。

エネルギーの蓄積・代謝のコントロール

肥満が多くの病気の原因であることに、異を唱える人はいないだろう。特に健康上問題となるのは、皮下脂肪より内臓脂肪であるといわれている。

内臓脂肪細胞では、高血圧の原因物質であるアンジオテンシノーゲンや、食欲の抑制とエネルギー代謝の調節に関わるホルモンであるレプチン、インスリン抵抗性を起こすTNF－αやレジスチン、血栓ができやすくなるPAI－1、高脂血症の原因となる遊離脂肪酸などがつくられ、多くの病気を引き起こすと考えられている。

しかし、肥満の克服は簡単ではない。人類が二足歩行を始めた頃から、我々はエネルギーをできる限り効率よく吸収し、余ったエネルギーを体内に脂肪として蓄積する仕組みを構築してきた。簡単に言えば、人は飢餓のリスクに備えて、太るようにできているのである。

一方、現在はスーパーや小売店で簡単に食料を入手できるため、通常飢餓に陥ることはないことに加え、高カロリー食、運動不足による低エネルギー消費が常態化している。さらに一度食事量の多い生活を経験してしまうと、その後食事量を減らしても、長期間、エネルギー摂取の渇望が消えないことがわかっている。以前の脂肪の状態に戻そうとする本能が働くためである。

だからこそ、食事制限を伴うダイエットは相当な苦痛を感じる。薬物同様に一生の闘いになると言う医師もいる。ダイエットとリバウンドを繰り返す人が多いのは、当然ともいえるのだ。

こうした難題も次の事例のように、脂肪蓄積を促す遺伝子への働きかけによって、まもなく解決されるかもしれない。

新技術事例④ 脂肪蓄積を促すRCAN1遺伝子

摂取したエネルギーを脂肪として蓄積せず、熱として消費できれば太りづらくなる。骨格筋の小刻みな収縮を伴わずに、生体内で熱が産生される現象をNST（non－shivering thermogenesis）といい、日本語に訳せば「非ふるえ熱産生」となる。これを増加できれば、肥満や代謝性の疾患に効果的であると考えられている。

NSTの産生メカニズムはまだ完全には解明されていないが、カルシニューリン1のレギュレーター（RCAN1）とカルシウム活性化タンパク質ホスファターゼカルシニューリン（CN）のフィードバック阻害剤に、NSTの発生を抑制する作用があることがわかってきている。オーストラリア・フリンダース大学とアメリカ・テキサス大学の研究チームの論文によれば、RCAN1遺伝子が欠損したマウスはNSTの働きを阻害しないため、代謝率が高く、食事誘発性肥満に耐性があるという。

この研究の遺伝子発現プロファイルは、RCAN1の発現とメタボリックシンドロームとの間に高い相関を示している。RCAN1がなくなると、摂取したエネルギーを脂肪として蓄えるのではなく、熱に変換するようになるということだ。

人類が飢餓と闘っていた頃であれば、RCAN1によるNSTの抑制は、体内の省エネルギー化に役立ち有効だった。けれども、エネルギー摂取が飽和状態の現在、むしろ人を飢餓へと導き、みずからを攻撃する遠因となってしまっているのだ。

RCAN1の発現を抑える方法が開発されれば、摂取した余分なエネルギーが熱となって発散されるため、肥満解消につながる可能性が高い。肥満が解消されれば、高血圧や糖尿病など生活習慣病との闘いにも光明を見出せるかもしれない。

デバイスを用いた機能の代替・修復

これまで取り上げてきた研究が生化学的(バイオロジカル)なものだったのに対し、このデバイスを用いた研究は物理的(フィジカル)な作用といえる。

人工心臓や人工関節など、人体へのデバイスの組み込みはすでに行われており、現在もさまざまな研究が進められている。

デバイスの組み込みによる効果は失った機能の代替や修復に留まらない。たとえば、新たなデバイスによって歩けなかった人が歩けるようになると、歩行できないことによる体力の低下や身体機能の衰えも防ぐことが確認されている。さらには認知機能の向上にも役立つなどのメリットも得られるだろう。つまり、歩行機能を失ったことに付随する病気を未然に防ぐことにもつながるということだ。

新技術事例⑤ 脳波で体を動かす外骨格スーツ

脊髄損傷などにより四肢がマヒしている患者の脳の硬膜下にセンサーを取りつけ、脳波をセンシングし、そのデータを外部のコンピュータに送信して、リアルタイムで外骨格スーツに指令を送り人体を動かす。そんな人間の脳波によって体を動かす外骨格スーツの研究が、2019年10月に医学雑誌『ランセット・ニューロロジー』に掲載された。

現在は転倒防止のためにハーネスをつけていなければならず、外骨格スーツの利用はラボ内に限定されている。自由な歩行にもほど遠く、腕の動きに至ってはかなりの訓練が必要とされる。

とはいえ、外骨格スーツを装着した状態で上腕や前腕、手首を動かして特定の標的を触る実験では、71%という高い成功率を記録したという。

いまのところ、脳波を読み取り、コンピュータで変換してリアルタイムに外骨格スーツに指令を送る情報量に限りがあるため、今後はさらに多くの情報の送受信と、処理速度の向上が課題となる。より強力なコンピュータを利用して情報処理能力を向上させ、人工知能で情報変換を行えば、実用レベルの外骨格スーツが日の目を見る日もそう遠くないかもしれない。

コスト面での課題は大きいが、今後は四肢だけでなく、指を動かす装置の開発に取り組む計画もあるという。

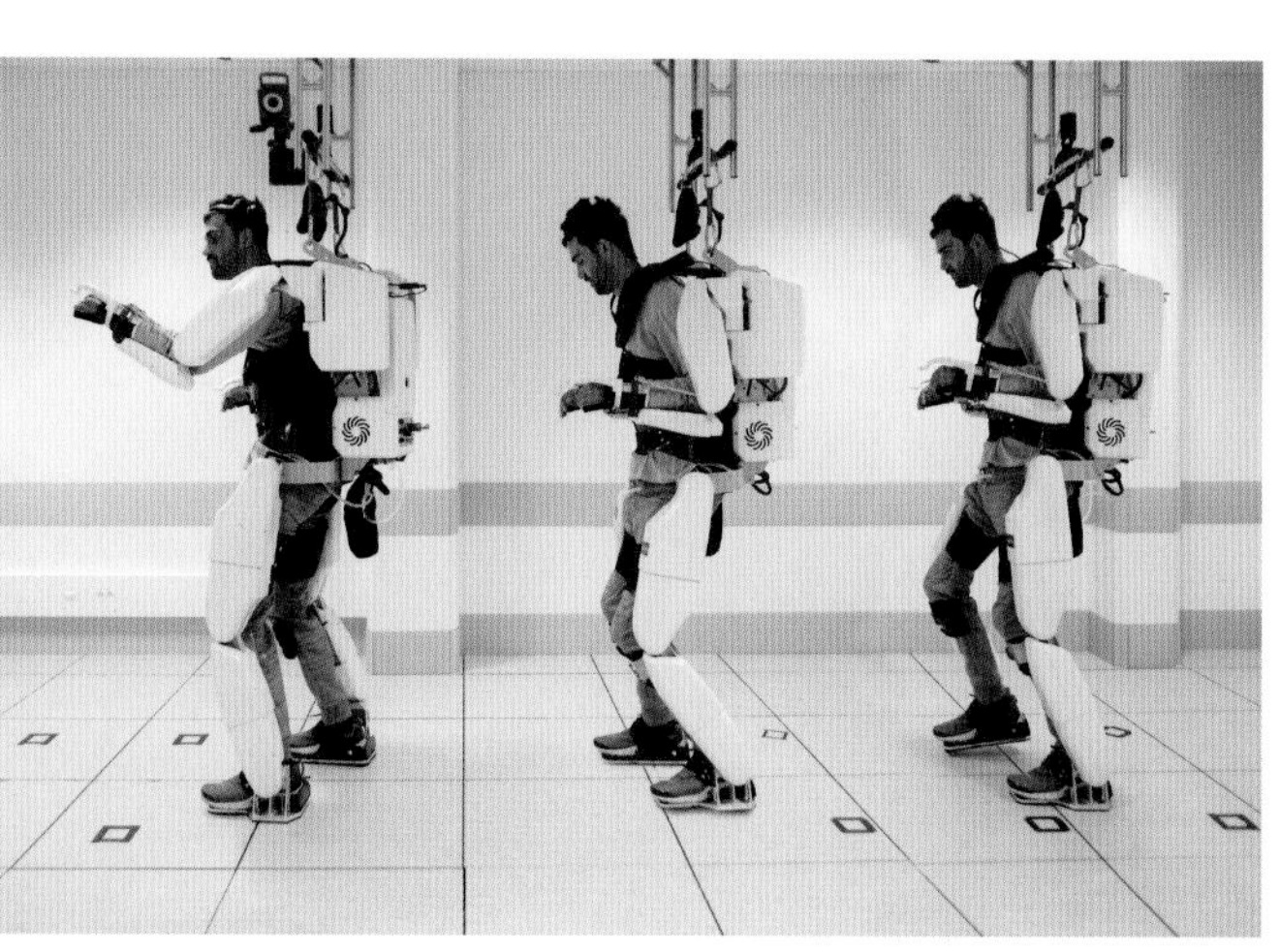

フランス・グルノーブル大学で開発された外骨格スーツ「Thibault」。

写真提供：AFP＝時事

新技術事例⑥ 脊髄損傷患者向け電気刺激インプラント

2018年、『Nature』に下半身がマヒした患者が脊髄刺激療法で歩行可能になったという論文が掲載された。

スイスの研究者が行った実証実験では、下半身不随の3人の男性被験者に電気パルスを発生する無線インプラントを埋め込み、脊髄に局部的な電気刺激を与えた結果、1週間後には治療を受けた全員が、普通の歩行補助器や電気刺激を与える機能のついた歩行補助器を使っての独立歩行が可能になったと報告された。

そればかりではない。訓練開始から5カ月以内には、自発的な筋肉制御が大幅に改善され、電気刺激をやめた後も神経機能が維持され、マヒしていた脚の筋肉が動かせるようになったという。今後は電気刺激を与える場所と時間を厳密に定める作業が進められる見込みだ。

どんな病気でも治せるようになったら

生化学的、物理的、それぞれの側面からいくつかの新しい技術を紹介してきた。SF小説や映画にも登場しそうな技術だが、いずれも実際に研究が進められているものである。

もちろんこれらの技術が実用化されるまでには、まだまだクリアすべき課題は多い。具体的な見通しについては専門家によって意見が分かれるが、我々は「肝臓などの複雑な臓器の再現」が20年後、「細胞レベルのコントロール」が20～30年後、「デバイスの人体への組み込み」が30～50年後には実現されると予測している。

とはいえ、あくまで予測であり、新たな発見や研究資金の拡大などにより、開発スピードが加速度的に上がっていくことも考えられる。現在40～50歳ぐらいの人が生きている間にその恩恵にあずかる可能性も十分あるだろう。

紹介したような技術が実現した場合、こんな人生を送ることになるのかもしれない。

40歳で肺がん、50歳で大腸がんを患うが、いずれも再生臓器の移植によって社会復帰。60歳で糖尿病が悪化して腎不全に陥るものの、再生した腎臓を移植して再度復帰を果たす。80歳で転倒し、脊髄を損傷。しかし、デバイスの助けで日常生活はほぼ支障なく送れる。100歳で肺炎にかかっても難なく回復し、多くのひ孫、玄孫に囲まれて120歳を迎える……。そんな一生が一般的になる社会が、数十年後にはやってくるかもしれないのだ。

その頃には、治療の技術だけでなく、検査技術や予防手段も向上しているだろう。誕生時の遺伝子スクリーニングによって、将来かかりそうな疾病と罹患する年代が予測でき、罹患リスクに合わせて検診が行われる。検診は血液1滴の採取で終わるため、わざわざ医療機関まで足を運ばなくても、近所のドラッグストアやコンビニなどで済ませることが可能になる。

高血圧や高脂血症、糖尿病といった生活習慣病にかかる可能性の高い人に対しては、毎日の体重や血圧、歩行距離、睡眠の時間や質などのデータがウエアラブル端末から送信され、AIによって適切な運動メニューや食事のアドバイスが無償で提供される。メニューを確実に消化し、数値目標をクリアすればポイントがもらえ、民間の生命保険料も割引となる……。

こんな社会が到来したとしたら、人の一生ははたしてどう変わるのだろうか。

何通りものシナリオが描けるが、ここでは最後に2つの課題を提示したい。

課題  医療費の増大による格差問題

どんな病気でも治せるようになったら、当然ながら治療を求める人が増え、医療費が増大するのは間違いない。

言うまでもなく、日本は国民皆保険制度を採っており、現状1～3割の自己負担で医療サービスを受けられるが、すでに高額の医療費が国の予算を圧迫しつつある。もし現在と同じ制度のまま、すべての病気の治療を保険対象としてしまえば、国庫の破綻は明らかである。

先ほどの例のように、病気治療によって社会復帰ができて、高齢になっても社会参画できる人が増えれば、労働人口の減少に多少歯止めはかかる。しかし、公的保険を受け皿にし続けるのは限界があるだろう。

では、再生臓器移植などの高度医療を保険対象外にした場合、何が起こるか。健康体を手に入れるための経済力があるかどうかで、人の寿命が左右されるようになり、そのことがさらなる格差を生み出すことになるかもしれない。

もちろん、社会は急激な変化を嫌い、基本的にバランスを取ろうとする。格差是正に向けたさまざまな動きも出てくるだろう。たとえば、次のような動きが起こるかもしれない。

●民間の医療保険の活用

医療によって、高確率で病気が治ることが約束されていれば、民間の医療保険へのニーズが高まるだろう。医療保険やがん保険、介護保険や就業不能傷害保険など、生きるための保険といわれる第3分野の保険が着実に市場を広げていることからも、可能性は高いと考えられる。

一方で、第3分野の保険は、死亡保険などの第1分野の保険に比べると利幅が薄く、リスクが高い。その分、保険料が高額になれば、経済的に加入できない人が出てきてもおかしくない。政府が、公的保険でカバーできない部分を、民間保険に任せる方向で進むのであれば、そうしたリスクを補う意味で、データビジネスなど保険業以外のビジネスへの参入を保険会社に認めるような動きも出てくるかもしれない。

もちろん、保険会社にとっても、幅広い所得層の健康データを収集する価値は大きい。保障内容を抑えるなど、低・中所得者層向けの商品が自然な形で生まれてくることもありうるだろう。

●医療技術の大衆化

現在、最先端の高額な治療も、さらなる開発競争やニーズの増加によってコストダウンが進めば、多くの人が低コストで治療を受けられるようになる。

２０１９年11月に東芝が「1滴の血液からがんを検出できる技術を開発した」と発表した。13種類のがんに侵されているかどうかを、わずか1滴の血液があれば、2時間ほどで判別。従来のように、がんの種類ごとに検診方法を変える必要がないため、受検者にとっても、費用、時間とも大幅に短縮されるメリットがある。２０２０年から実証実験を開始し、数年以内の実用化を目指すという。

検査費用は2万円以下を目標としているが、競合企業の出現などによって検査技術の一般化が進めば、街のドラッグストアやコンビニで、ワンコインで検査が受けられるようになる可能性もあるだろう。

なお、同検査技術を支えているのは、ＡＩである。東芝では社員の協力を仰いで計測データを収集し、そこからがんとの関連をＡＩがパターン学習して診断している。

このように医療にＡＩを活用するには、いかにデータを収集するかがカギになる。近い将来、データを提供する個人に対して、対価を支払うような動きも出てくるだろう。アップルウォッチなどのウエアラブル端末との連携などにより、そうした仕組みが急速に広まっていくことも考えられる。

また、アメリカなどでは、遺伝子を改変

ジャパンディスプレイと東京大学が共同開発した薄型イメージセンサー。指紋と静脈、脳波を同時に計測できる

写真提供：つのだよしお／アフロ

するゲノム編集が手軽に行えるため、大学や企業の研究所に属さず、自宅やガレージなどでバイオテクノロジーの実験を行う「ＤＩＹバイオ」といわれる活動が広がっている。今後、開発に必要な施設やデータなどのオープンソース化、関連機材などの小型化や低価格化、バイオ教育の促進などがさらに進めば、これまで一部の企業や大学の研究室にしかできなかった医療分野の研究開発を、一般企業や個人が手掛け、販売するような世のなかになっていくかもしれない。

もちろん、安全性の担保や倫理面での課題があることには注意したい。

課題❷ 前例なき人生設計と生きがい

本書のカバーストーリーでも指摘したように、病気の克服や長寿化と、人間重視社会が築かれることはイコールではない。長生きが必ずしも個人の幸せにつながるとは限らないからだ。

これまでみずからの人生を80年前後と考えていた人が、10年、20年といった短期間のうちに１２０歳まで生きられるようになったとしたら、プラスされた40年分の生きがいをどう見つけるかが課題となるだろう。

１２０歳まで生きるだけの経済的な備えがあるかどうかも問題になる。95歳まで余裕のある老後を過ごすには平均で２０００万円の自己資金が必要という金融庁の諮問機関の提言が話題になったのは記憶に新しいが、さらに25年分の生活資金を確保しなければならないのだから容易ではない。

また、若年層は、ロールモデルのない人生設計を描かなければならなくなる。現在は65歳前後を定年として人生の一つのマイルストーンとなっているが、8割の企業が継続雇用制度を導入し、さらなる定年年齢の引き上げや定年制そのものの廃止に動く企業も増えている。生涯現役で働くにしても、定年後にいったん大学で学び直すことが必要とされるかもしれない。もちろんリタイアし、趣味を楽しむ選択肢もありうる。

いずれにしても、現在の社会インフラや主流とされているライフスタイルは、人々の寿命がいまほど長くなかった高度経済成長期につくられたものがベースとなっている。どんな病気でも治すことが可能な社会になり、１００歳、１２０歳と寿命が延びていけば、単に高齢者の生き方としてだけではなく、学校制度のあり方や働き方、結婚観や家族観なども大きく変化していくだろう。

その時、どんな解を求めるかで、日本の未来も大きく変わっていくに違いない。我々の未来には、これまで以上に持続可能性や多様性が重要になるだろう。 P

KOKI NAKAMURA

東京大学大学院農学生命科学研究科応用生命工学専攻修士課程修了。2016年、三菱総合研究所入社。専門はヘルスケア・ライフサイエンス・データヘルス。ヘルスケア・ライフサイエンスにおける各種調査や国内産業の市場獲得シナリオの策定、必要な技術開発の検討支援に従事。また、健保組合が作成したデータヘルス計画や民間企業の健康関連データの分析にも携わる。

NORIMASA FUJII

東京工業大学大学院総合理工学研究科知能システム科学専攻博士前期課程修了。2003年、三菱総合研究所入社。専門は研究開発マネジメントおよび産学連携。これまでさまざまな分野の技術人材／マネジメント人材の育成・配置に関する調査コンサルティングを行う。近年では、医療機器の開発・事業化の支援を手掛ける。共著に『標準MOTガイド』（日経BP、2006年）など。

KAYOKO IKEDA

東京大学大学院農学生命科学研究科応用動物科学専攻博士後期課程修了。博士（農学）。2003年、三菱総合研究所入社。専門はバイオインダストリー。医薬品や化学製品、食品を出口とする「生物機能を活用したサービス提供・ものづくり」の進展を目指し、ヘルスケア・ライフサイエンスにおける各種調査や国内産業の展開シナリオの策定、必要な技術開発の検討支援に従事。また、これらの分野を対象とした新規技術の社会受容性に関する調査研究にも携わる。

TAKEAKI TANIGUCHI

京都大学大学院理学研究科生物学科修了。1999年、三菱総合研究所入社。専門はバイオインフォマティクス、バイオテクノロジー。ゲノム・合成生物学関連のデータ解析・システム開発・アルゴリズム開発から、近年では、がんゲノム医療をはじめとする医療・医薬品関連の研究・開発に関して政策動向やビジネス開発、関連領域における倫理的課題等についての調査・研究に携わる。

山口情報芸術センター [YCAM] 研究員

津田和俊

KAZUTOSHI TSUDA

聞き手｜三菱総合研究所 ヘルスケア・ウェルネス事業本部 主任研究員 谷口丈晃
三菱総合研究所 ヘルスケア・ウェルネス事業本部 研究員 中村弘輝
写真｜黒澤宏昭　構成・まとめ｜山際貴子

研究を広く市民の手に
DIYバイオで変わる社会

近年の生命科学やその周辺領域の技術発展は、簡便で安価な研究手法の開発に貢献してきた。さらに実験機材の低コスト化やオープンソース化により、大学や企業の研究室に必ずしも属していない個人が、バイオテクノロジーを用いた実験や研究に取り組む「ＤＩＹバイオ」の動きが世界で広がりを見せている。ＤＩＹバイオの普及で人や社会はどう変わっていくのか、ＤＩＹバイオの可能性を模索する山口情報芸術センター［ＹＣＡＭ］の津田和俊氏に話を聞いた。

機材の自作や既存機材の改良で新しい研究が可能に

アメリカを中心にＤＩＹバイオの取り組みが広がっています。どのような背景があるのでしょうか。

アメリカでは、２０００年代からＤＩＹの祭典「メイカーフェア」が始まるなど、ＤＩＹカルチャーが広がっています。３Ｄプリンターや切削加工機などのコンピュータ数値制御型の工作機械が小型化されてＰＣの周辺機器として接続されるようになり、製作に必要な設計情報もインターネット上に公開して共有する動きが起きています。この動きは「パーソナル・ファブリケーション」とも呼ばれ、さまざまな分野で、個人が必要なものを自分たちで製作する環境が整ってきています。

バイオテクノロジーの分野でも、実験機材の小型化や設計情報の公開が進み、現在のＤＩＹバイオの流れにつながっていきます。２００９年には、カリフォルニアの「BioCurious（バイオキュリアス）」やニューヨークの「Genspace（ジェンスペース）」などのＤＩＹバイオラボが誕生しています。

この時期、同じような動きがアメリカ以外でも起こっています。たとえば、スイスを拠点に、２００９年にバイオテクノロジーの機材をＤＩＹでつくることに特化した「Hackteria（ハクテリア）」という国際的なネットワークが生まれ、世界各地の科学者やハッカー、アーティストと一緒に、医療技術、食品発酵、土壌や水質分析など、さまざまなＤＩＹバイオを実践しています。

このように、ＤＩＹバイオが広がりを見せた要因には、ＤＮＡやゲノムの解析コストが大幅に下がったこともあります。２０００年頃から比べると、ゲノム1人分の解析コストは約10万分の1になり、現在はおよそ10万円台と見積もられています。また先述したように、実験機器の小型化や低価格化、設計情報のオープンソース化によって、必要な機器を入手しやすくなっていることも一因です。実験機器の自作や既製品の改良が可能になり、バイオテクノロジーに関わる研究技術が個人の手に届くようになったことで、さまざまな分野でＤＩＹバイオの取り組みが活発化しています。

日本でもＤＩＹバイオへの社会的な関心が増してきているように感じます。事業化を念頭に置いている人も増えていますか。

事業化を念頭に置いたオープンなバイオラボも国内にでき始めています。社会的な関心は増してきていると思いますが、特に学生時代に生命科学や生物学を学んできた人が関心を寄せることが、いまは多いように感じます。これまでは卒業後、研究職にでもつかない限り、実験のできる環境がなかったこともあり、ＤＩＹバイオラボが増えていくことに期待している一般の方も多いのではないでしょうか。10～20年以上前に生物学を専攻していた人ほど、近年の技術の進歩に驚かれているようです。

日本では、まだまだＤＩＹバイオラボは少ない状況です。どこに理由があるとお考えでしょうか。

先ほど例に挙げたアメリカのＤＩＹバイオラボは、クラウドファンディングで資金調達をして立ち上げ、寄附金に関する税の優遇措置を受けられる５０１（ｃ）（３）のＮＰＯ（日本の公益法人に相当）にして、比較的郊外で運営しているようです。活動に賛同してくれる大学や研究機関などからの機材の寄贈も多く、バイオキュリアスを見学したところ、実際、機材のほとんどは寄贈された中古品でした。かたや日本では、ＮＰＯに対する社会的な信用が低く、資金調達も課題です。さらに、大学は機材を提供しづらい環境に置かれています。研究費や補助金で購入した機材は「目的外利用できない」「償却期間内は外部に引き渡しできない」という制約があるためです。大学内の全学での共同利用など、緩和へ向けた動きも広がってきていますが、外部に譲渡する動きはまだ少ないように思います。

私は、３Ｄプリンターや切削加工機をはじめ多様な工作機械を備えた地域工房の世界的なネットワーク「ファブラボ」の取り組みを日本で紹介する活動を行っていますが、一からＤＩＹバイオラボを立ち上げるのではなく、そういった既存の施設にＤＩＹバイオラボを併設していく動きもあります。

ファブラボのアフリカ拠点では、産業利用がニーズとしてあって、ベンチャーが立ち上がっていると聞きます。やはりビジネスとのつながりは、ＤＩＹバイオ普及の原動力となるのでしょうか。

ファブラボでいうと、スペインのバルセロナの拠点では、雇用促進の観点から行政と町づくりを進めています。またアメリカでも、ホワイトハウス内でＤＩＹの祭典「メイカーフェア」が開催されています。ＤＩＹバイオラボ発の雇用拡大、スタートアップ企業誕生への期待もあるかと思います。ただ、ビジネスとのつながりだけでもないような気がしています。

先生の所属する山口情報芸術センターでは、ＤＩＹバイオの推進に当たってどのような取り組みをされているのでしょうか。

山口情報芸術センター［ＹＣＡＭ］は、山口市の運営する公共のアートセンターですが、２０１５年から研究開発プロジェクト「ＹＣＡＭバイオ・リサーチ」をスタートしています。館内にバイオラボのスペースを設置し、芸術表現、教育、コミュニティの観点から、身近なところでバイオテクノロジーの応用可能性を模索しています。

その一環として、たとえば「森のＤＮＡ図鑑」というワークショップを開催しています。一般の参加者とともに山口市内の森で植物のサンプルを採集し、参加者がその観察とＤＮＡ解析の情報から生物種を推定した結果を図鑑にしてインターネット上で公開しています。情報が見えると、想像が広がり、表現への入口にもなるでしょう。

ＤＩＹバイオの広がりが新たな発見へと導く

DIYバイオラボが増えて、ゲノム編集などの技術が身近になってくると、患者が自己治療するような世のなかになっていくのでしょうか。

DIYバイオは「バイオハッキング」と呼ばれることもありますが、脳や体をハッキングして知覚を操作しようとするような、サブカルチャーとしての身体改造とは分けて考える必要があります。自分で注射をして、ゲノム編集を行うなどの身体改造行為は生命倫理や安全性を無視したものです。こうしたパフォーマンスに近い行為をメディアがDIYバイオの例としてセンセーショナルに取り上げてしまうことがあり、DIYバイオへの誤った認識や過度な規制につながることを危惧しています。

一方、DIYバイオを医療に活用する観点でいえば、自分の健康状態や生体情報を自分で解析・管理する世界になるかもしれません。たとえば、自分の遺伝情報をゲノム解析し、先天的な疾患の傾向を調べて健康管理や予防医学に活かすなどの利用は考えられると思います。現在、自分の遺伝情報を知りたい場合、数万円で市販されている遺伝子検査キットを体験することはできますが、まだ医療に活用できる情報にはなっていません。将来的には、ゲノム情報を個人情報として自分でも管理して、医師と相談しながら判断材料の一つとして医療に活用するようになるかもしれません。

また、健康や医療に関連して、私たちも参加している取り組みとして「メタサブ(MetaSUB)国際コンソーシアム」が挙げられます。世界各地の都市環境の微生物群集を網羅的に調べるプロジェクトです。毎年6月21日に開催されているグローバル・シティ・サンプリング・デーでは、世界各地の人々が地下鉄に集まり、さまざまな表面を綿棒でこすってサンプルを採取してい

KAZUTOSHI TSUDA

1981年、岡山県新庄村生まれ。千葉大学大学院自然科学研究科多様性科学専攻博士後期課程修了、博士（工学）。2008〜2015年、大阪大学工学研究科の特任研究員や助教として、工学設計や適正技術の教育プログラム、資源循環やサステイナビリティに関する研究に取り組む。2010年からファブラボのネットワークに参加、2013年4月、ファブラボ北加賀屋（大阪市）を共同設立。2014年、山口情報芸術センター［YCAM］のコラボレーターとなり、2016年より現職。「パーソナル・バイオテクノロジー」の可能性を模索している。2020年2月から京都工芸繊維大学デザイン・建築学系の講師にも着任。

ます。人の移動に伴って都市の微生物群集がどう変化するか調べたり、特定の抗菌薬（抗生物質）の効かない薬剤耐性菌と病院との距離などを分析するためです。このように、多様な人々が実験活動に参加してデータを採取する試みは、シティズン・サイエンス（市民科学）の側面があり、ＤＩＹバイオラボはそれを推進する拠点の一つになるでしょう。

いままで著名な研究機関や研究者が行っていたような調査が市民主導で行われる可能性があるということでしょうか。

あると思います。メタサブ国際コンソーシアムの主導者は医科大学の生理学の専門家ですが、専門家と非専門家が共同で調査する機会を持つことで、一般の人がサンプルを綿棒で採取するなどの調査方法を教わったり、微生物について関心を持つきっかけになったりするなど、これまでにないおもしろい試みになっていると思います。

また、現在アメリカのＤＩＹバイオラボでは、オープン・インスリンと名づけられたプロジェクトが進められています。糖尿病患者に必要なインスリンですが、特許などの関係で安価とは言いがたく、必要な人々が手に入れられない状況があるそうです。そのため、低コストのインスリンの製造手法を独自開発して、同手法の公開を目指すプロジェクトが始動しています。

ＤＩＹバイオの広がりで、安価な薬の開発以外に、どのような好影響が期待できるでしょうか。

ＤＩＹバイオの普及で、生物学や遺伝学以外の専門家や実務家も研究活動に加わることになり、研究テーマの探索範囲が広がり、科学技術の発展が加速することが期待できます。また一般の人々が研究にコミットすることで、専門家の研究倫理を問い直すことや、バイオテクノロジーの社会への導入について建設的な議論をすることも可能になるのではないでしょうか。

また、生物に関心を持つことで、ポスト人間中心主義について考えるきっかけになるかもしれません。ＹＣＡＭバイオ・リサーチを始めてから、さまざまな生物のＤＮＡを抽出して調べましたが、肉眼では見えない微生物から、植物、動物、人間まで、これほど多様な形状や振る舞い、生き方をしている生物が、基本的にその設計図であるＤＮＡで遺伝情報を伝えていて、互いに共通の祖先を持っていることに改めて気づかされ、感慨深いものがありました。

ＤＩＹはDo It Yourselfですが、最近では「ＤＩＷＯ（Do It With Others）」という言葉も出てきています。生物分野の専門家から、他分野の専門家や実務家、一般の人々までが一緒に研究活動することで、実験にしても、フィールドワークにしても、社会で応用するにしても、さまざまな可能性が見えてくるでしょう。何かをつくる楽しさや、生物を調べる楽しさは、本来はだれもが持っている権利のはずです。研究の喜びを広く開放することで、いままでにない研究が実現していくかもしれません。

技術から人間が学ぶことで スマートな未来が開かれる

ＤＩＹバイオの広がりには、生命科学の進歩が前提にあると思います。分子レベルでの生命現象の解明に、工学的アプローチはどのように役立っているのでしょうか。

合成生物学の分野では、生物学と工学の境界の領域において、工学的、つまりつくるというアプローチを生物の理解のために応用しています。機械と似た考えが通じる部分があるためです。

ただ、部品に分解できて、組み立てれば元に戻せる機械と、生物とでは当然違います。部分的な代替は再生医療などで行えても、生物を一からつくることはできていません。生物の理解を深めるために、工学的なアプローチも採り入れていますが、一方で、生物と工学の違いがより明確になる部分もあると考えています。

たとえば、コンピュータの場合、センサーやスイッチ、キーボードなどからのインプット（入力）があると、プログラムによって、モーターやアクチュエーターが「動く」、ライトが「光る」、スピーカーが「鳴る」といったアウトプット（出力）をします。生物である人間の場合は、いろいろな情報が入ってきて、それを受けて思考するなどして、声や言葉、文字にして伝えていきます。ある部分では機械と同じように分解して理解できますが、ある部分では違うアプローチによる理解が必要になります。ただし、工学的アプローチを導入することで、生物の不思議さがより深くわかります。

DIYバイオを広めていくに当たって、課題と感じられることはありますか。

まずはコミュニケーションでしょうか。メディアに対しては、適切な情報を提供しながら協力して理解を促し、DIYバイオの可能性が伝わるようになればと思います。また、より多様な人々が、どのようなステップを踏みながら、バイオテクノロジーの知識や技術を学んでいけるかを考えていくことも課題でしょう。学びやすいものでなければ、裾野は広がりません。

さらに、バイオテクノロジー特有の問題として、安全性や生命倫理、環境への影響についてのルールづくりも重要です。特に新しい研究や実験については、マニュアル化できません。遺伝子組み換え生物の拡散防止の環境づくりなど、安全管理の基本的な考え方を共有して、根づかせていくことが重要です。さらに、実験手順や各種ルールをオープンにして、多くの人の知見を蓄積して、よりよい文化をつくっていくことも大切です。

実験試薬類の入手方法も課題です。現在、試薬類は大学や企業などの研究機関で使われることが前提になっているので、原則、代理店を通じて購入する仕組みになっています。DIYバイオラボや個人が購入するには、ライセンス制にして、安全管理や生命倫理の研修の受講を必須にするなど、モラルハザードが起こらないための制度設計が必要です。

30年後、50年後の未来を考えた時、「人間・生命の拡張に関わる技術」として、生命科学の分野では、どんな点に注目すべきでしょうか。

拡張というと、生命を機械のようにとらえるイメージがありますが、機械的にとらえて人間中心主義的な使い方をするのではなく、生命や生物の多様性とそのなかでの人間の役割、あるいは資源の有限性を理解したうえで、生命観や死生観、ライフサイクル、循環といった考えをいかに拡張していけるかが重要になるでしょう。科学や技術から人間の側が学ぶことが大切です。

また、バイオテクノロジーは医療や福祉だけでなく、農業、林業、水産業など1次産業の見直しにも重要な役割を担っています。いまは都市部に人口が流入していますが、地方にバイオテクノロジーの研究の場を新たに整えられるかもしれません。地域の農家や漁師、シェフがDIYバイオロジストになる未来も期待できると思います。

ファブラボは関東に拠点ができたのを皮切りに、地方都市や町、期間限定ですが、村や離島にまで拠点が置かれるようになりました。ファブラボにしても、DIYバイオラボにしても、小さなラボが分散して広がる形になると思っています。機材の小型化、バイオテクノロジーの民主化が進めば、自宅やフィールドでものづくりや生物の研究ができるようになり、ラボも不要になるかもしれません。

以前、『Ｎａｔｕｒｅ』誌で、モバイルフォンが研究のプラットフォームになっていっているという「ポケット・ラボラトリー」について取り上げられていました。自分のポケットを実験やものづくりなど研究のDIYプラットフォームにできれば、学びのある楽しい未来になり、生物や生命についての考えを育てていけるのではないでしょうか。P

スタンフォード大学 医学部 教授

中内啓光

HIROMITSU NAKAUCHI

聞き手｜三菱総合研究所 ヘルスケア・ウェルネス事業本部 主任研究員 谷口丈晃
三菱総合研究所 ヘルスケア・ウェルネス事業本部 研究員 中村弘輝
写真｜Data Hon　構成・まとめ｜上田理恵

動物の体内でヒトの臓器をつくる移植技術の新時代

2019年、ネズミとブタの体内でヒトの膵臓をつくる基礎研究が文部科学省により承認された。その研究チームの中心がスタンフォード大学医学部の中内啓光氏である。動物の体内でヒトの臓器を作製できるようになれば、重篤な病気に対する臓器移植の新たな可能性が広がると期待されている。世界じゅうでさまざまな再生医療の研究開発が進められているなか、再生医療の現在地と課題、予想される未来について話を聞いた。

試験管内の不可能が動物の体内で可能になる

先生は、異種動物の生体内でヒトの臓器を作製する研究を進められています。その核となる胚盤胞補完法とはどういうものでしょうか。

あらゆる細胞に分化する多能性幹細胞には、ES細胞やiPS細胞があります。ヒトES細胞の安定的な培養に成功して約20年、iPS細胞については10年以上経ちます。この間、実用化に向けてさまざまな臨床実験が行われています。すでに、高齢者に多い目の病気で治療の難しい加齢黄斑変性や虚血性心筋症、パーキンソン病などの患者に、iPS細胞からつくった細胞の移植が試みられています。

しかし、これらはいずれも、試験管内で誘導した分化細胞を用いた細胞療法と呼ばれる方法で、私たちが進めているのは患者由来の多能性幹細胞を、別種の動物の生体内でヒトの臓器になるまで育て、患者に移植する方法です。

これまで試験管内で細胞を積み木のように構築していくことで臓器を再生する方法については、さまざまなアプローチで研究が進められてきましたが、大きな成果は上がっていません。なぜなら、未分化の細胞は非常に複雑な相互作用を経て成長するため、その過程を試験管内で完全に再現するのは至難だからです。そもそも細胞の発生過程自体が解明し切れていないのです。

そこで、未解明の過程を無理に補うよりも、別種の動物が体内に持つ発生環境に委ねるほうがいいのではないかと考えました。その大きなカギとなったのが胚盤胞補完法です。この方法は、1993年にスタンフォード大学時代同僚だった陳建柱博士(現・マサチューセッツ工科大学教授)が発表したもので、免疫細胞をつくれないマウスの受精後まもない胚盤胞に、正常なマウスのES細胞を注入すると、注入された細胞由来の免疫細胞ができるというものです。

もともとは臓器再生を目的とした研究ではありませんでしたが、応用すれば、患者の体細胞からiPS細胞を作製して、動物の体内で細胞を育てて臓器をつくれるのではないかと考えるようになりました。

日本には、臓器移植の待機患者が1万4000人以上います。ヒトの臓器を動物で再生して移植できるようになれば、ドナー不足の問題は解消します。また、患者自身の細胞からiPS細胞をつくるため、臓器移植後の拒絶反応も抑えられます。


これまで、この方法の技術的な課題はどのようなものだったのでしょうか。また、それをどのように乗り越えてきましたか。


まずは異種間での胚盤胞補完法が成立するかどうかが問題でした。遺伝的に異なる細胞が混ざった状態をキメラといいますが、研究開始当時、マウス・ラット間でも異種間のキメラはつくれないとされていました。

そこで、まず遺伝子操作で膵臓をつくることのできないマウスの胚盤胞をつくり、そこにラットのiPS細胞を注入しました。すると、異種間のキメラはもちろん、マウスの体内にラットの膵臓がつくられ、異種動物間での胚盤胞補完法が成立することが確かめられたのです。この結果により、同じように動物の胚盤胞にヒトのiPS細胞を注入すれば、細胞が分化し、ヒトの臓器を生み出せる目処が立ちました。

しかし、ヒトの臓器を再生するには、マウスのような小型哺乳類ではなく、大型哺乳類での成果が必要です。そこで、遺伝子操作で膵臓を欠損させたブタをつくり、そのクローン胚に健常なブタの胚細胞を注入して胚盤胞補完法を実行しました。その結果、膵臓欠損の遺伝子を受け継ぎつつ、健常なブタ由来の膵臓を持つキメラブタをつくることに成功しました。つまり、ブタのような大型哺乳類においても、胚盤胞補完法による臓器再生ができ、ヒトの臓器を再生できる可能性が明らかになったのです。

そして、もう一つ大きな課題だったのは、ヒトと異種動物とのキメラをつくることです。日本では規制があるため、ヒツジの体内でヒトのiPS細胞を使った胚盤胞補完法の研究をアメリカで進めました。

まだクリアしなければならない課題は多く残されていますが、動物を使ってヒトの臓器をつくることが可能になれば、臨床応用を目指して安全性をチェックする次の段階に進むことができます。


2019年に、動物の体内でヒトの臓器をつくる基礎研究が、ようやく国内で承認されましたが、膵臓以外の臓器も同じようにつくり出せるのでしょうか。


いまのところ、膵臓の研究が先行していますが、腎臓や肝臓などの臓器や血液などもつくれる可能性があります。動物の体内で別種の遺伝情報を持つ血液をつくる研究では、2017年、血管内皮・血液細胞が欠損したマウスに別のマウスからつくったiPS細胞を移植し、造血幹細胞をつくることに成功しています。これがブタなどの大型哺乳類で可能であることが研究で証明されれば、ヒトの血液をブタの体内でつくることも可能でしょう。

ただし、動物の種によって、できやすい臓器、できにくい臓器のあることがわかってきています。


動物の体内でヒトの臓器が成長するのに、どれくらいの期間が必要でしょうか。


臓器によっても違いますが、ブタの体内でつくる場合、ヒトのiPS細胞を移植する工程も含め、1年はかからないでしょう。

拒絶反応の問題もありますが、臓器によっては移植した際に拒絶反応の出にくいものもあります。こうした臓器については、必ずしも自分の細胞を使う必要がないため、一般の部品のようにあらかじめつくり溜めておくようなこともできるかもしれません。最近では、拒絶反応を受けにくいiPS細胞やES細胞の研究も進んでいます。

ただ、拒絶反応を受けにくい臓器は細菌やウイルスに感染した時に問題を引き起こす危険性があります。さまざまなリスクを想定して解決方法を講じておかなければなりません。

研究スピードを損なわせない倫理審査のあり方

動物の体内でつくった臓器による移植の安全性については、どれくらい確かめられているのでしょうか。

胚盤胞補完法によってラットの体内にマウスの膵臓をつくり、そこから膵島を分離して糖尿病のマウスに移植したところ、1年以上にわたって免疫抑制剤なしで正常血糖値を維持しました。少なくともマウスレベルでは、おおむね安全性は確認されています。

ただし、移植直後はホストの細胞も混ざっているため、少しの間、免疫を抑制する処置は必要です。臓器によっても違いますが、移植後、しばらくすると、本人の細胞だけになるという研究結果も出ていて、時間が経てば免疫抑制剤すら必要なくなるでしょう。

胚盤胞補完法とは異なりますが、アメリカではブタの遺伝子をヒト型に改変して免疫拒絶を受けにくくしたブタの肝臓を移植する研究も行われていますが、この場合は必ず拒絶反応が出ます。ドナーが見つかるまでの「つなぎ」として使われるのではないでしょうか。

また、ブタの膵島をヒトに移植する「バイオ人工膵臓移植」という技術も開発されています。無菌状態で育てたブタの膵臓から取り出した膵島をカプセルに包んで移植するものです。

動物の体内でヒトの臓器をつくることは危険だという声を聞きますが、以上のような状況に鑑みると、異種動物の体内でつくった臓器をヒトに移植することが、ことさら大きな危険をはらんでいるとは考えにくいと思います。

HIROMITSU NAKAUCHI

スタンフォード大学医学部教授。1978年、横浜市立大学医学部を卒業。83年、東京大学大学院医学系研究科から医学博士号を取得後、スタンフォード大学医学部遺伝学教室博士研究員として留学。帰国後、順天堂大学、理化学研究所を経て、1993年に筑波大学基礎医学系免疫学教授。2002年に東京大学医科学研究所教授に就任、2008年より東京大学に新しく設置された幹細胞治療研究センターのセンター長を務める。2014年からスタンフォード大学医学部幹細胞生物学・再生医学研究所教授を兼務。2017年3月、東京大学を退官となるが、特任教授として医科学研究所でも研究を続けている。大学院時代より一貫して基礎科学の知識・技術を臨床医学の分野に展開することを目指している。

先の話になると思いますが、胚盤胞補完法の基礎研究から臨床応用の段階に進むに当たっては、何が課題になるのでしょうか。

倫理審査が一番の課題だと思います。日本ではマウスを使った研究は進められますが、ヒトへの適用には厳しい規制がかけられています。再生医療の分野においては、臓器移植を待つ患者の期待に応えるには、透明性が高く、かつスピーディーな倫理審査が求められます。この問題を解決しなければ、国際的な競争の面でも、後塵を拝することになるでしょう。

一つのアイデアとしては、現状のように一部の関係者による審査をやめて、数百人規模の裁判員制度のような組織による審査システムに変えることです。研究内容やメリット、リスクなどを申請者や倫理学会、社会学者などがプレゼンテーションして、裁定を受けるシステムにするのがいいのではないかと考えています。ここで問題となるのは、学問的な倫理ではなく、一般の人がどう感じるかに大きく依存している点です。また、こういった倫理基準は科学の進歩や社会の状況によっても変化します。

大切なのは、その時点における審査基準を明確にすることです。万が一、審査に落ちても、基準が明確であれば、基準を満たしたうえで再度チャレンジすることが容易になります。

ところが、現状は基準が曖昧なため、どうすれば審査に通るかがはっきりわかりません。それゆえ、資金が枯渇して、断念せざるをえない研究が少なくないのです。

再生医療の研究成果を社会実装していくには、研究だけでなく、倫理審査のあり方についても改善していくことが重要です。

中内先生はアメリカでも研究をされています。審査以外にどんな点で日本との違いを感じますか。

資金面の違いは大きいでしょう。アメリカでも、安全性の確認には時間とお金がかかりますが、研究開発のための設備が、質・量ともに充実しています。国の予算のほかに、州の予算がつくこともあります。個人からもたくさんの寄付が集まります。

また、規制の面で日本は国際的な比較において、たとえば中国などに比べると厳しい基準を設けています。もちろん、安全性の担保は第一ですが、医療はやってみないとわからない面があるのも事実です。チャレンジできる範囲が広ければ、発想も自由になりますし、成果も上がりやすいでしょう。このままでは研究のスピードにおいて、日本はどんどん置いていかれるかもしれません。審査のスピードを速めることも重要です。

再生医療における人材不足も、日本の抱える問題です。研究者は環境が整っている海外の大学に積極的に出向き、知見を広めるべきです。どちらかというと、いまの日本は国内に留学生を多く招こうとしているように見えますが、このままでは海外とますます差がついてしまうでしょう。

グローバルに人材の流動性を高めるなど、何らかの施策が必要でしょう。この数年でどれだけの種を蒔けるかで、10年後、20年後の日本のプレゼンスが決まってくると思います。

30年後の人間・生命の拡張に影響を与える3つの技術

再生医療の高度化と一般化が進むと、人間の有り様や考え方も変わってくるのではないでしょうか。

臓器移植などがあたり前に行われるようになれば、平均寿命が100歳を超えてもおかしくないと思います。ある意味、生まれたままの体を持つ人は貴重な存在となり、体の一部を入れ替えている人のほうが多くなっているかもしれません。

現在よりQOLの考え方も浸透し、死の直前まで、体をよりよい状態に保つ意識や技術が高まると思います。

臓器移植を受けた人のなかには、自分の

体に「他人がいる」ような感覚を持つ人もいると聞きます。移植が個人の意識に影響を与えることは考えられますか。

　心臓移植を受けた人のなかには、そうした感覚を持つ人もいるようですが、あくまでレアケースでしょう。どんなに臓器を入れ替えて元の自分が失われても、脳を入れ替えない限りは、アイデンティティが変わることはありません。

　移植後の病気を心配して、不安な気持ちに駆り立てられるようなこともないと思います。もちろん、実際にはヒトで試してみないとわかりませんが、先ほどお話しした通り、これまで動物実験で危険な病気が発生したことはありません。ラットの体内でマウスの膵臓をつくり、糖尿病のマウスに膵島を移植した実験でも、移植を受けたマウスにがんなどの腫瘍が形成される異常はいっさい観察されませんでした。

　そう考えると、再生医療を受けることの危険性よりも、再生医療が一般的になって寿命が延びることで社会にもたらされる影響を心配するほうが現実的です。

　特に脳は交換の利かない臓器です。今後、老化を遅らせたり、脳の細胞変性疾患を予防したりする技術や薬が開発されるかもしれませんが、長寿化に伴って、アルツハイマー病や脳の変性疾患は間違いなく増えていくことでしょう。寿命だけ延びて、高齢者の認知症が激増し、一方で少子化で若者の人口が減るのは、社会構造的に大きな問題です。

最後に、生命科学の視点で見てこれから50年くらいの間に、社会に大きな影響を及ぼす注目すべき技術はありますか。

　3つ挙げられます。

　1つめは、遺伝子操作の技術が簡単になり、だれでも行えるようになってきていることです。1世代のみの影響で済む操作であれば、過度に心配する必要はありませんが、次世代に引き継がれるような操作は軽率に行うべきではありません。

　たとえば、お酒に弱い人が強くなるには、肝臓のなかのアルコールを分解する遺伝子を正常型に替えれば可能です。こうした遺伝子操作は、その人だけの変化で済むことなので問題ありません。一方、生殖細胞の遺伝子操作には慎重な議論が必要です。子どもの健康や生命、社会に大きな影響を与えかねません。場合によっては、人類の存続にも関係してくるでしょう。

　2つめはＡＩ技術です。ＡＩ自体が医学に寄与するだけでなく、医学に関わる人材に求められる能力も大きく変わることになるでしょう。現在、日本で主流の偏差値や記憶重視の教育は無意味になります。こうした分野はＡＩのほうが優秀ですから、確実に取って代わられます。

　アメリカではさまざまな国の人が研究に携わっていて、その自由な発想に驚かされることが少なくありません。そうした独創性や感性はＡＩにはない、人間の専売特許です。今後日本も、独創性のある人が尊重される土壌に変わっていくと思います。

　そして、3つめはクローン技術です。哺乳類のクローンでは、イギリスのクローン羊「ドリー」が有名ですが、それをヒトで行うのは技術的なハードルが高く、倫理上の問題もあります。しかし、倫理的な問題を脇に置けば、ヒトのクローンをつくる技術が発達する可能性は大いにあります。

　実際、韓国ではクローンペットが登場していて、それがビジネスになっています。もしヒトにその技術を適用することが可能になれば、自分のクローンをつくって人生をやり直そうと考えたり、亡くなる前にクローンを残したいと考えたりする人が現れるかもしれません。

　いずれにしても、20～30年前は想像もできなかったようなことが、現実に起きています。医療の世界も、何が起きても不思議ではありません。

　これから30年後は、まったく違う世のなかになっているはずですから、クローン人間などもあながち、ＳＦの世界の話ではなくなっているかもしれません。Ｐ

東京大学構内のアントレプレナープラザ内にある東京ラボに設置されている、
バイオ3Dプリンター「レジェノバ」

サイフューズ
――再生医療への新しい可能性を開拓

三菱総合研究所
ヘルスケア・ウェルネス事業本部
研究員
中村弘輝

東京大学の近く、本郷に少人数ながら精鋭たちが集まったバイオベンチャー企業がある。２０２０年に創業10周年を迎える新進企業サイフューズは、再生医療の先端をひた走っている。バイオ事業は開発と生産に膨大な時間と資金を要する。努力を積み重ねて得た技術的優位も、たったひと晩で別の企業に奪われるかもしれない。そんな業界のなかで、独自の着眼点で開発してきた先端技術によって、いまや国内外から注目される存在となったサイフューズが取り組んでいるのが、純度１００％の「ヒトの細胞」を使った組織の生成である。

ヒトの細胞だけを使った再生技術の開発

１９５２年にパラシュート生地（ポリビニル繊維）製の人工血管が動物実験で成功して以来、さまざまな素材が人工血管に試されてきた。合成繊維や樹脂でつくった小口径の人工血管は「注射針による穴が塞がりにくい」「詰まりやすい」「経年劣化によって交換手術が必要になる」「交換手術の際にバクテリアなどによる感染症に罹患するリスクがある」などの問題を抱えている。

近年はブタなどの動物にヒトの細胞を移植して生成した生体型の人工血管も使用されているが、ほかの動物の遺伝子や細胞を持った組織は人体にとって異物であり、拒絶反応を起こしうる。

しかし、こうした人工血管を、混じりけのない自分の細胞からつくることができたらどうだろう。自分の細胞だから、拒絶反応が起こる可能性はほぼなく、生体だから注射針の穴もすぐに塞がる。自然に治癒・再生されるため交換の必要もない。サイフューズでは、こうしたヒトの細胞を使った組織の生成に取り組んでいる。

基になるアイデアの発案者は、現在、佐賀大学医学部に勤務する整形外科医・中山功一教授（当時、九州大学病院の臨床医）である。

それまで再生医療の試みはさまざま研究されてきたが、皮膚や軟骨、心筋などの単一細胞をシート状に培養する、あるいは細胞を液体中に分散させた状態が限界で、組織や臓器のように立体的な構造を生み出すことはできなかった。細胞と細胞を接着する技術もさることながら、接着して厚みを持たせると、中心部まで酸素や栄養が行きわたらず、細胞死してしまう問題があった。

中山教授は骨軟骨の再生研究に取り組むなかで、生物学の一般常識である、同じ組織の細胞はお互いを認識して接着する「細胞凝集現象」に注目した。この現象を利用すれば、立体的な臓器の作製が可能だと考えたという。

具体的には、臓器や組織のもとになる細胞を大量培養して凝集させ、直径約0・5ミリの団子状の細胞「スフェロイド」を作製する。続いて生け花で使う「剣山」に似た針の足場に、そのスフェロイドを串刺しにして積み上げ、つくりたい組織や臓器の形にする。数日後には細胞が融合するので剣山から抜き取り、抜いた穴が塞がるまで一定期間培養すると完成する。この作製方法では、細胞死も起こらなかった。

自社開発した剣山。作製する臓器や組織によって種類がある

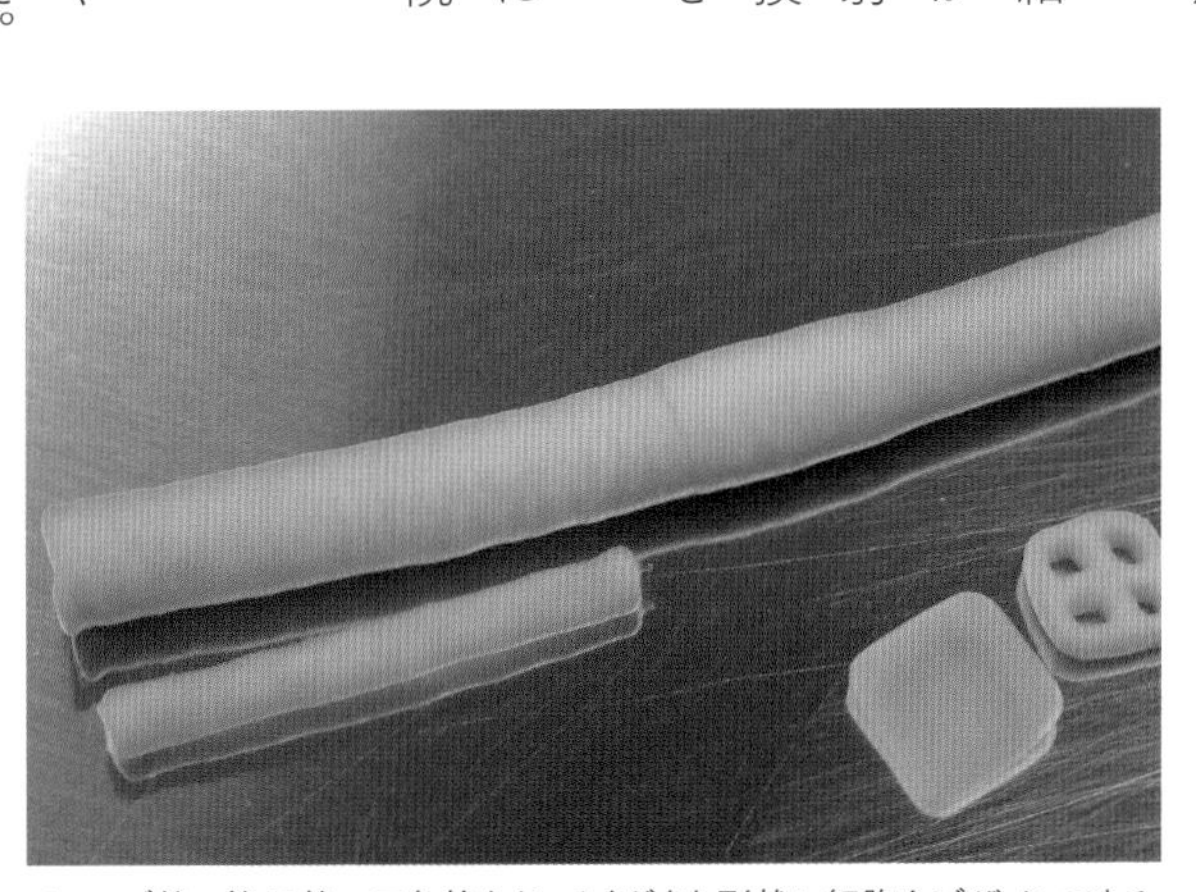

チューブ状、格子状、四角状など、さまざまな形状に細胞をデザインできる

ただし、当初はスフェロイドをピペット（スポイトの類似品）でつかみ、針に刺すという作業を人の手で行っていたため、1個を刺すのに10分以上を必要とした。そこで中山教授は、自動化を目指して自家製の機械をみずから製作し、バイオ3Dプリンターの原理を発明。2010年、これらの研究を再生医療として事業化する目的でサイフューズは設立された。

2012年には、佐賀大学と石川県に本社を置く大手機械メーカーの澁谷工業との共同で独自のバイオ3Dプリンター「regenova（レジェノバ）」を開発。つくりたい形状をコンピュータ上でデザインすると、プリンターが自動的に剣山に突き刺しながら細胞を積み上げ、これまで10分以上かかっていた手作業工程がロボットのプログラムによって、10秒弱に短縮した（図表1）。

400〜500㎛のスフェロイドを刺す剣山の針の直径は170〜180㎛。9×9針、26×26針などが主に使われており、多様な組織をつくることを可能にしている。同技術は、海外の論文などでも「Kenzanメソッド」として広く知られている。

主力となる3つの事業

サイフューズは同技術を基盤に、①再生医療、②創薬支援、③バイオ3Dプリンターの開発・販売の3つの事業を展開している。

①の再生医療については、「血管」「骨軟骨」「神経」「肝臓」の4分野での実用化に向けて開発が進められている。理論的には、どの組織や臓器も再生可能であると考えられ

ている。

たとえば、骨と軟骨の両方に損傷のある場所にヒトの幹細胞を埋め込むと、骨側は骨に、軟骨側は軟骨に、自然と分化することが確認されている。細胞は周囲の環境に合わせて、いかようにも変化する能力があることを示唆するものである。同社の技術により、ヒトの組織を適切な場所に移植し機能再生させることができれば、将来的には脊髄損傷の治療などにも、適用できる道が開けるかもしれない。

②の創薬支援は、医薬品メーカーなどからの依頼もあって事業の中期的な戦略として取り組むようになったもので、新薬の安全性試験を効率よく、かつ高い精度で行うために、本物の肝臓と同様の機能を持ったヒトの3D肝臓組織を提供するものだ。

通常、創薬の研究開発では、臨床試験の前に動物実験を行う。しかし、ヒトと種が異なるため、臨床試験では予想を裏切る結果が出ることも少なくない。臨床段階で開発を断念することになれば、時間もコストも大幅にロスすることになる。

そこで同社では、ヒトの肝細胞だけからなる混ぜ物のない3D肝臓構造体を開発し、肝機能が長期にわたり持続するようにした。これにより、前臨床段階での安全性試験などが効率よく行え、人間での臨床試験に移った後で開発中止を招く確率を減らすことが可能となる。

③バイオ3Dプリンターの開発・販売については、すでに多くの研究機関への納品実績がある。さらに、前出のレジェノバの進化版となる、卓上サイズの次世代型3Dプリンター「S-PIKE（スパイク）」を自社内で開発。国内ではシスメックスと、海外は丸紅と業務提携し、国内外へ展開を行っていく予定だ。

会社DATA

代表取締役	秋枝 静香
設立日	2010年8月11日
資本金	1億円
事業内容	再生医療等製品の研究・開発・製造・販売
事業所	東京オフィス（本郷三丁目）／東京ラボ（東京大学構内）／九州ラボ（九州大学構内）

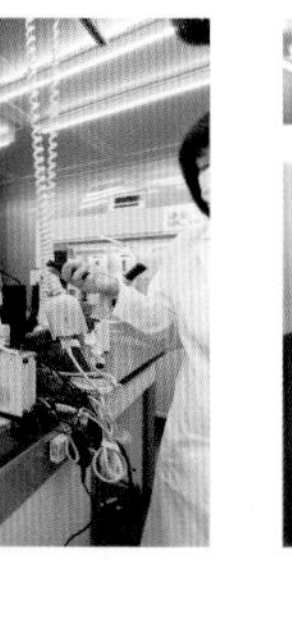

アライアンスが開いた道

今日に至るまでに同社はいくつものハードルを乗り越えてきた。特に基盤となる組織の生成においては、いわゆる「検品」も大きな問題だった。

できあがった組織を崩せば容易に確かめられるが、当然、その組織は使いものにならなくなる。かといって、サンプルをいくつか検品するだけでは、人体で使用するものなので不安が残る。つまり、破壊ではなく、非破壊検査が必要になるのだ。

それには、精密機器の高度な技術に加え、数百㎛、数千㎛の大きさの細胞の状態を見極める、人による精緻な観察力も要求される。医療と技術開発が融合しなければ、成しえないことだった。

このように、事業化には、多くの企業との協力・アライアンスが必要とされた。たとえば、サイフューズの九州ラボから東京ラボへの組織の輸送一つとっても、運輸会社や鉄道、航空会社などに協力を仰ぐ必要があった。研究に必要な試薬や実験器具も既成のものでは十分でないことから、器材メーカーなどに共同開発を依頼。ゴミやホコリがいっさい入らない独自のクリーンルームも大手企業の協力があってこそ実現した。

現在、同社は人工血管の開発において、佐賀大学とともに動物による検証を終え、腎不全で血液透析を受けている患者本人の細胞だけでつくった細胞製人工血管を移植する臨床試験を開始している。世界初の試みである。人工透析をしている患者は、腕に頻繁に針を刺すため、血管の状態に問題を抱える人も少なくない。感染や狭窄、閉塞などが

図表1｜**バイオ3Dプリンターによるヒト細胞100％の立体的組織の生成**

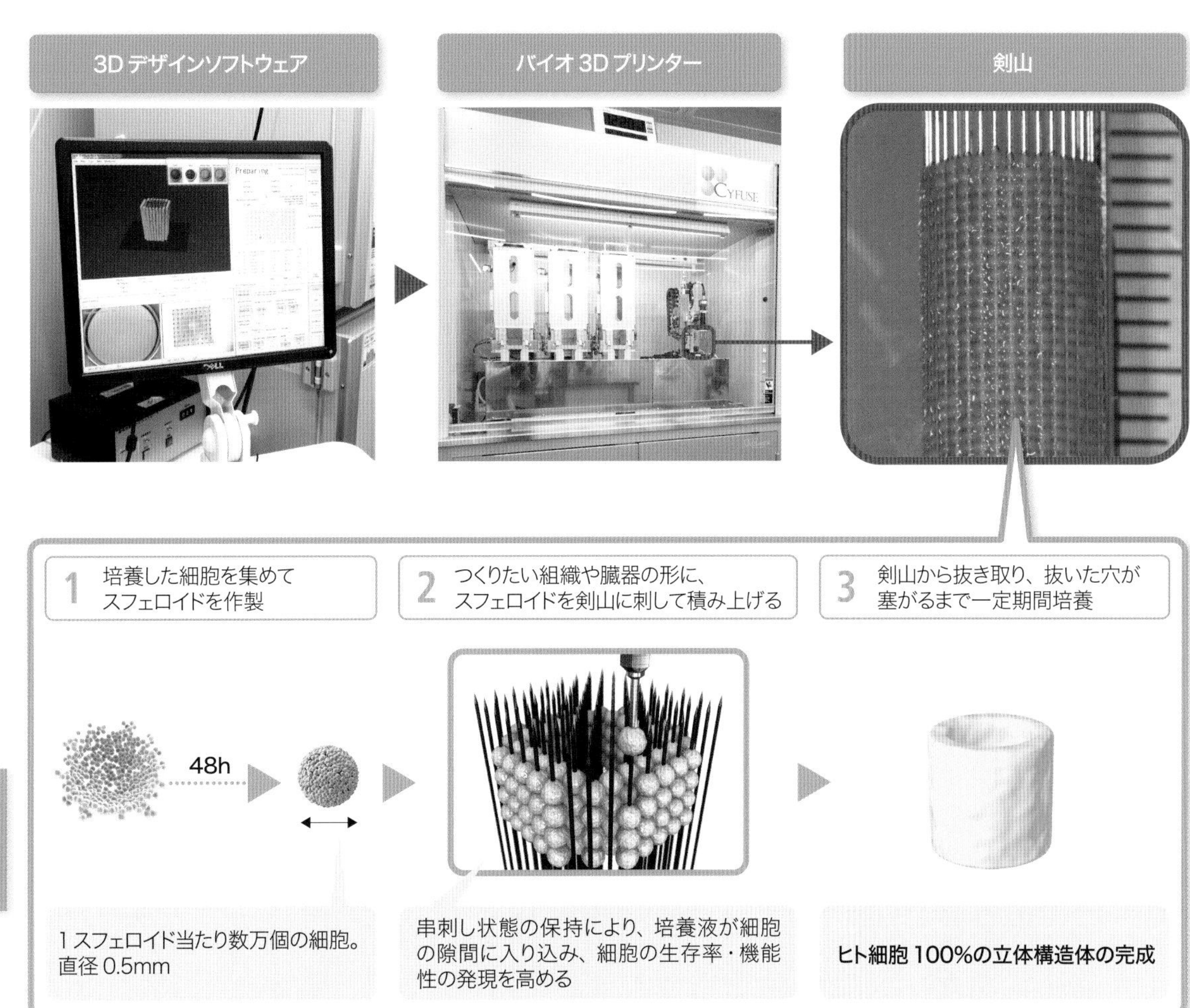

起こりにくく、自分の血管のように機能する人工血管が実用化されれば、多くの患者にとって朗報となるだろう。

多くの企業、研究機関との連携がなければ、ここまでの道も開かれなかったかもしれない。ベンチャー発の新しい技術を育てていくためには、アライアンスが不可欠といえよう。

再生医療の技術を未来へつなげるために

アメリカの調査会社のマーケッツアンドマーケッツによれば、バイオ３Dプリンターの世界市場は、２０２１年には約１４００億円規模に達し、２０１６年の３倍を超えるという。

一方で、創業時からのメンバーであり、２０１８年から代表取締役を務める秋枝静香氏は、国の豊かさを問わず、平等に医療・再生医療が受けられるような社会をつくりたいと考えている。個別に患者の細胞を大量培養し、３Dの組織を作製するには、環境設備や人材、コストが課題となる。安全性の確保はもちろんのこと、こうした問題の解決も不可欠となる。

秋枝氏は明治大学農学部で化学分野の研究をし、九州大学大学院に進学した後に中山教授と出会い、再生医療の道へ入った研究者である。再生医療の実用化は長い道のりであり、同社には20～30代のメンバーも多い。これまでの技術と会社の使命を次世代に引き継いでいかなければ、再生医療は発展していかない。同氏は小中学生向けのサイエンススクールで講師も務めているが、こうした広く長期的な視野に立った人材育成について、見習うべきところは大きいだろう。Ⓟ

三菱総合研究所
ヘルスケア・ウェルネス事業本部 主任研究員
谷口丈晃

三菱総合研究所
ヘルスケア・ウェルネス事業本部 主任研究員
池田 佳代子

三菱総合研究所
経営イノベーション本部 研究員
竹村毬乃

老いから解放されたら

医療の進化による寿命の伸びが老化の速度を超える日が10年以内に訪れる——。ご存じの方も多いだろうが、AI研究の世界的権威であり、未来学者でもあるレイ・カーツワイル氏の言葉だ。数年前であれば、絵空事にしか聞こえなかったような話が、現実味を帯び始めている。実際、マウスレベルでは長寿化に成功するなど、若返りにつながる発見が相次いでいるからだ。ここでは、そんな不老の夢をかなえる最新技術を紹介し、いつしか訪れるであろう不老社会の未来を占ってみたい。

Photo｜アフロ

若さは人類の永遠のテーマ

最近の高齢者を見て、ひと昔前に比べると「若い」と感じている人は多いだろう。実際、日本老年学会と日本老年医学会の合同ワーキンググループが国の各種統計調査データベースを分析したところ、現在の高齢者においては10〜20年前と比較して、加齢に伴う身体的機能変化の出現が5〜10年遅延しているという（2017年提言）。

また、内閣府の「高齢者対策総合調査」の「高齢者とは何歳以上か」の質問について、1998年度と2018年度の結果を比較すると、図表1のように60歳以上、65歳以上、70歳以上と回答した人の割合が大幅に減少しているのに対して、75歳以上、80歳以上、85歳以上と回答した人は2・5倍以上に増えている。69年に放送開始の「サザエさん」に登場する父親の磯野波平の年齢設定は54歳。いまの50代の姿からはかけ離れている。

歴史を振り返ると、若さへの憧れは人類の永遠のテーマである。古代メソポタミアの『ギルガメッシュ叙事詩』に不老不死の薬を求めて旅する王の姿が描かれ、秦の始皇帝は日本を不老不死の国だと信じて、使者に仙薬を探させたことは史実とされている。古代エジプトのクレオパトラや中国の楊貴妃、フランスのマリー・アントワネットが若さに執心したこともよく知られる話である。

現代においてはアンチエイジングという言葉が定着し、化粧品や健康食品などの広告では「奇跡の○歳」といったコピーがお馴染みとなっている。人類は少なくとも4000年以上も不老不死を追い求め続けているといえる。

その永年の夢に、ようやく一歩近づけるかもしれない。「どんな病気でも治せるようになる」（48ページ参照）研究が進んでいるだけでなく、生物の宿命ともいえる老化を食い止め、若返りを実現するテクノロジーが追求されるようになり、平均寿命だけでなく、健康寿命も延ばせる可能性が強まっているのだ。

そもそも現在、病名のついている症状のなかには、以前は老化現象として扱われていたものも多い。医学的にも、病気と老化の境界線は曖昧で、老化といっても「生理的老化」と「病的老化」に分類されている。前者は体や精神の疾患の影響を受けずに、加齢の影響のみによって引き起こされる、あらかじめ遺伝的にプログラムされている現象であり、後者は生理的老化にさまざまな疾患や環境などの外部因子がストレスとして加わり、寿命が短くなる現象と定義さ

図表1｜**高齢者とは何歳以上か**

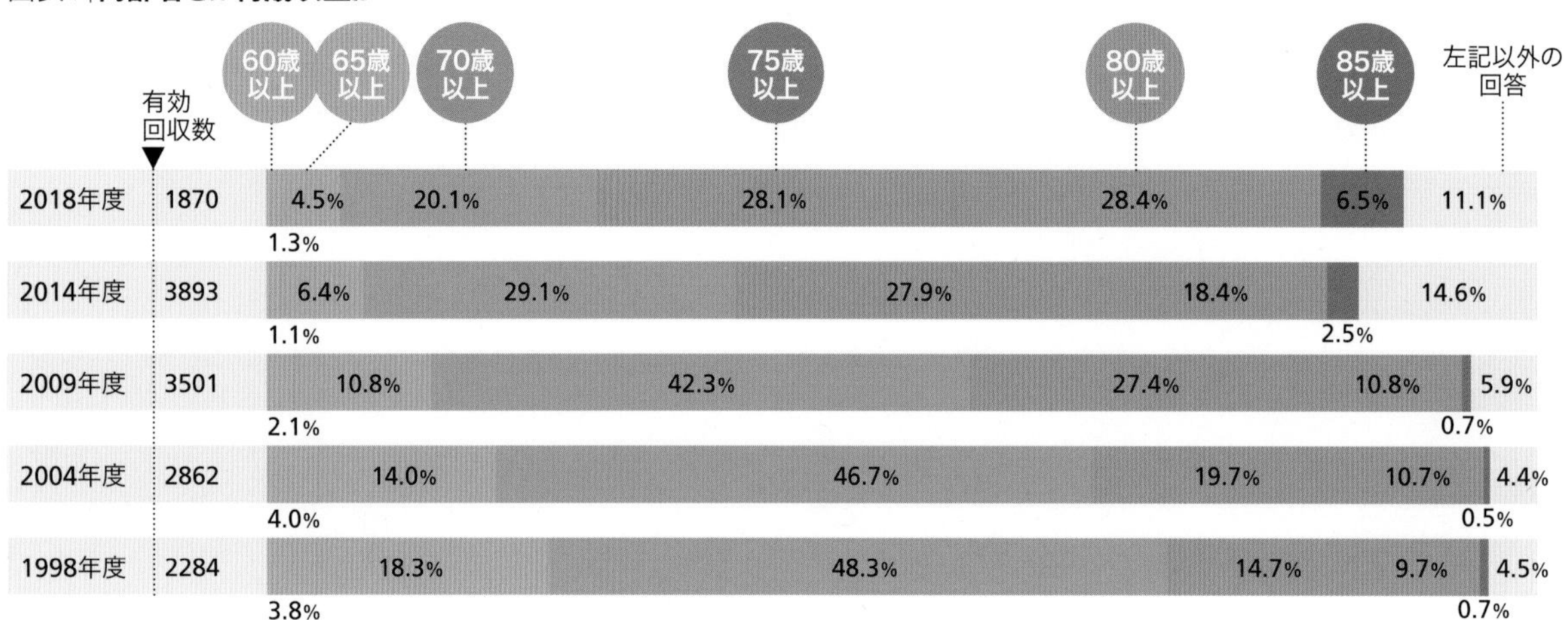

出所：各年度の高齢社会白書（内閣府）より作成
※調査時の質問は、1998、2004、2009年度は「高齢者とは何歳以上か」、
2014、2018年度は「あなたは一般的に支えられるべき高齢者とは何歳以上だと思いますか」

れている。

また、臨床的には、顕著な臨床症状のある疾患を有するものを病的老化、ないものを生理的老化としている。生理的老化の代表例はシミやシワ、白髪など。病気ではないが、加齢によって体に現れた現象と考えればわかりやすいだろう。

いずれにしても、健康な人が若さや生命を維持できているのは、古くなったり傷ついたりした細胞が自己複製し、新しい正常な細胞に置き換わる機能が働いているからだ。肌も、筋肉も、消化器も、体を構成する細胞の多くは日々再生し続けている。

一方で、細胞は限られた回数しか分裂できない。発見者の名前にちなんで「ヘイフリック限界」と呼ばれ、人の細胞では50～60回が限界といわれている。分裂の限界に達するとやがて細胞死に至り、生命活動を維持できなくなった状態が寿命となる。

このヘイフリック限界、つまり細胞の寿命を決める要因となっているのが、細胞の染色体の端にあるテロメアという塩基配列である。細胞のなかにある染色体は分裂のたびに複製が行われるが、テロメアだけはすべてが複製されず、少しずつ短くなっていく。生まれたばかりの赤ん坊のテロメアの塩基数は1万5000だが、分裂するたびに短くなっていき（数を減らしていき）、35歳でおよそ半減する。塩基の数が6000を下回ると染色体が不安定になり、さらに2000まで減少するとそれ以上分裂できなくなる。つまり、テロメアの長さ、塩基の数がヘイフリック限界および細胞の寿命を決めているといってもよい。

ただし、テロメアが減るスピードには個人差があり、最近では酸化ストレスや放射線などが要因となって、細胞の老化が誘導されることもわかってきている。身近なところでいえば、飲酒やたばこなども細胞にとってはストレス原因となり、テロメアの短小化につながるという。

テロメアが短くなった細胞は、本来の働きができなくなる。たとえば、皮膚細胞にはコラーゲンを分泌して肌のハリを保つ役割があるが、テロメアが短くなるとコラーゲンを十分に分泌できなくなる。その結果、肌のハリが失われ、シミやシワができる。

そしてテロメアが短くなると、前述の通り、染色体が不安定になるため、遺伝子の変異が起きやすくなる。がんや心疾患、認知症などの疾患などについてもテロメアの減少が関与していることが明らかになってきている。

一方、無限に増殖する細胞としてがん細胞や幹細胞（ES細胞、iPS細胞など）が知られている。これらの細胞ではテロメアの修復を行うテロメラーゼという酵素が働き、ヘイフリック限界を超えた、言わば不死化した細胞となる。むろん、がん化することは問題だが、テロメラーゼ酵素にテロメアの減少スピードを遅らせたり、長さを伸ばしたりする働きがあることは、細胞の若返りに利用できる可能性を示している。テロメラーゼ酵素は諸刃の剣なのだ。

老化を食い止めて永遠の若さを手に入れたり、寿命を延ばしたりするには、「細胞の分化状態（細胞の性質）を正常な範囲で維持しつつ、自然な細胞が持つ分裂回数の上限を超える」ことと、「ケガや異物などによる攻撃を細胞が受けても、これまでの常識を超えて、各細胞本来の状態を維持できる」ことがカギを握る。後述するが、前

図表2｜**老化、細胞死の仕組み**

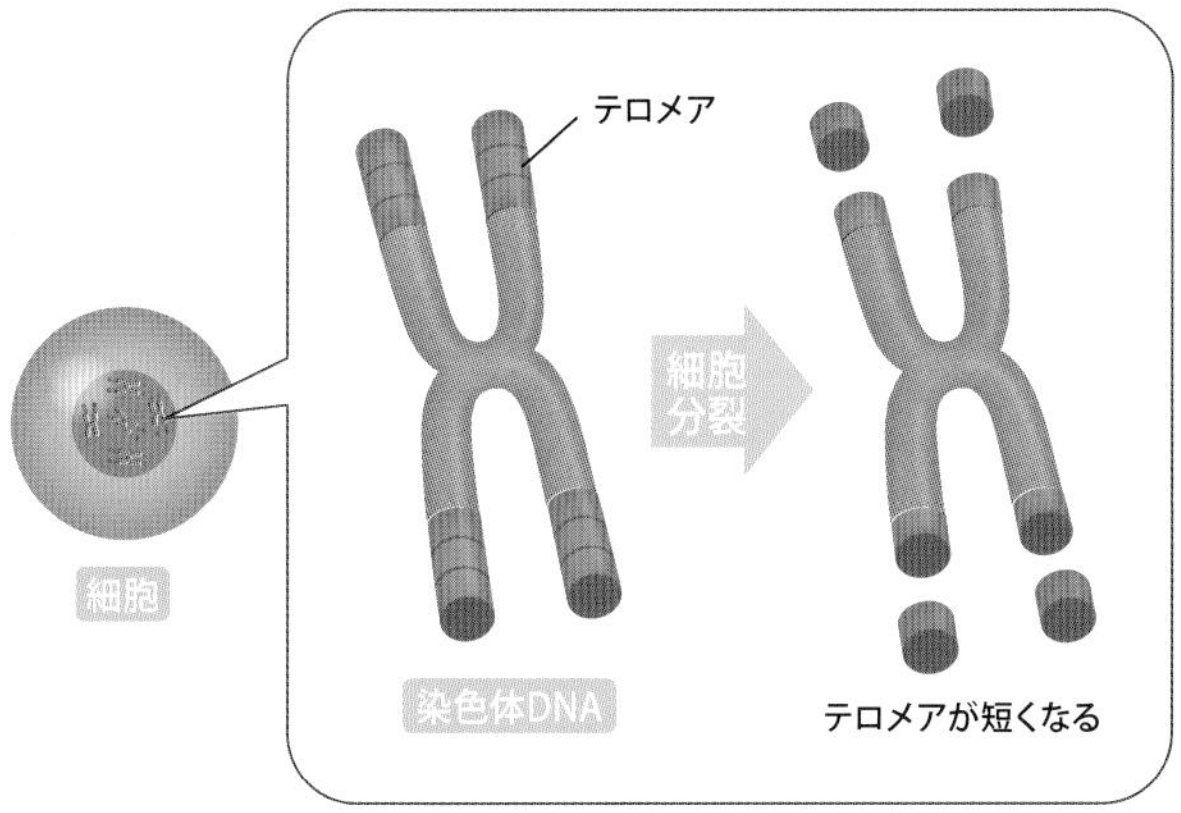

テロメア
細胞分裂
細胞
染色体DNA
テロメアが短くなる

細胞の寿命を決定づけるテロメアが減少していく構造

者についてはES細胞、iPS細胞、エピジェネティクスなど、後者についてはホルモン、mRNAの研究の進展により、実験室レベルでは大幅に細胞や動物の寿命を延ばすことに、すでに成功している。テロメアとテロメラーゼ酵素の仕組みの発見にノーベル医学生理学賞が与えられたのは2009年のこと。そこからわずか10年ほどのことである。

「老化を遅らせられれば、健康寿命を10〜20年延ばせる可能性がある」（クリステン・フォートニー／バイオエイジCEO）

「老いや死は科学技術の発展で克服できる」（レイ・カーツワイル／未来学者、人工知能研究第一人者）

「老化は避けられない運命ではなく、体にダメージが蓄積された結果として起こる病気にすぎない」（オーブリー・デ・グレイ／生物学者）

「老化は一方通行ではない。加齢は逆回しできる」（ファン・カルロス・イズピスア・ベルモンテ／ソーク研究所教授）

これらの発言から見ても、不老はもはやSFの世界の話ではなく、近い将来の実現に向けた研究が進められていることがわかるだろう。

人生100年時代といわれるが、日本の現在55〜60歳の男性の2人に1人は90歳超、女性の半数は100歳近くまで生きると推定されている。平均寿命は若いうちに亡くなった人も計算に含まれているため、55歳以下の人の実際の寿命は現在の平均寿命より約10歳以上長生きする可能性が高いと考えられる。

今後、日本に続いて、先進国の多くが本格的な超高齢社会を迎える。こうした社会的背景からも、不老の研究により拍車がかかるのは間違いないだろう。

抗老化・不老をかなえる最新研究・技術

不老の研究はさまざまなアプローチで進められていて、すでに治験が開始されているものもある。また、サプリメントや既存の薬の転用など、安全性が高いと考えられているものが多いことも、実現化に向けた明るい材料となっている。

そんな抗老化・不老の夢をかなえる最新研究・技術をいくつか紹介しよう。

食べ物やサプリメントなどで若返りを実現する

最新研究1 「希少糖」でアンチエイジング

脳や臓器が活動するうえで、糖は欠かせないエネルギー源である。一方で、糖には中毒性があることに加え、甘いお菓子や果物だけでなく、小麦や米などの炭水化物にも含まれている。そのため、過剰摂取になりやすく、肥満や糖尿病など生活習慣病を招く主たる要因ともなっている。

そんな悩みを解決する糖として、香川大学が研究を進める「希少糖」が注目を集めている。希少糖は自然界における存在量が0・1％程度しかない、文字通り希少な糖である（図表3）。糖にもかかわらず、エネルギー値が低いことに加えて、さまざまな機能を持つことがわかっている。

約50種類あるといわれている希少糖の一つD－プシコースは、体内で代謝されることなく、尿や便で体外に排出されるため、エネルギー値はゼロである。さらに「でんぷんや砂糖の消化を遅らせ、血糖値の上昇を抑える」「インスリンを分泌する膵β細胞の変性・劣化を防ぐ」「内臓や筋肉への脂肪の蓄積を抑制する」「末梢のコレステロールを減らす」などの働きが実証されている。

またD－アロースも同じく、9割以上が尿で排出されるため、エネルギー値がほぼゼロであるほか、抗酸化作用やがん細胞の増殖抑制作用を持つ。

抗酸化作用については、脳梗塞や心筋梗塞といった虚血性の臓器障害などへの保護作用が明らかになっているほか、パーキンソン病やアルツハイマー病、筋萎縮性側索硬化症（ALS）などの神経変性疾患において研究が進められている。がん細胞増殖抑制作用については、肝臓がん細胞、卵巣がん、扁平上皮がん、白血病などで効果が確かめられている。

最新研究② 食品に含まれる「ポリアミン」が細胞を活性化

「ポリアミン」とは、第1級アミン（アンモニアの水素原子1個を、アルキル基またはアリール基に置換したアミン）が3つ以上結合した直鎖脂肪族炭化水素であるプトレシン、スペルミジン、スペルミンの3化合物を総称したもの。すべての生物の細胞に含まれている、細胞の成長や増殖などの生命活動に欠かせない化学物質である。このポリアミンに、健康寿命を延ばす効果が期待されている。

ポリアミン濃度が2倍になるように調整した餌をマウスに与えた実験では、血中ポリアミン濃度の上昇に従い、老化に伴う細胞の組織変化の進行が抑制されて、マウスの寿命が延びたという報告がある。

ポリアミンは母乳にも含まれているが、成長とともに体内でつくる能力が衰え、臓器や組織中のポリアミン濃度は年々低下していく。体内で減少したポリアミン濃度を補うには、2つの方法がある。一つは、ポリアミンを含む食品を摂取すること。もう一つは、腸内細菌のポリアミン生合成を促進する食品を摂取することだ。

ポリアミンを多く含む食品は大豆などの豆類、シイタケやマッシュルームなどのキノコ類、オレンジなどの柑橘類、小麦胚芽、ブルーチーズ、たらこやイクラなどの魚卵、牛もつや鶏レバーなど、我々が日頃の食事で摂取できるものばかりである。

特にポリアミンは微生物による発酵の過程で多くつくられるため、もともとポリアミン濃度の高い大豆を発酵させた納豆や味噌、醤油などはより多くのポリアミンを摂取することができる。

また、アミノ酸の一種であるアルギニンとビフィズス菌を合わせて摂取することで、ポリアミンの生合成が促進され、ほぼすべての人で腸内ポリアミン濃度が上昇したという研究結果もある。

最新研究③ ポリフェノール「レスベラトロール」が長寿遺伝子を活性化

「レスベラトロール」は、ブドウの果皮などに含まれるポリフェノールの一種で、非常に強い抗酸化作用を持つ。39年に北海道帝国大学（現・北海道大学）の高岡道夫氏

図表3｜自然界における糖の存在比イメージ

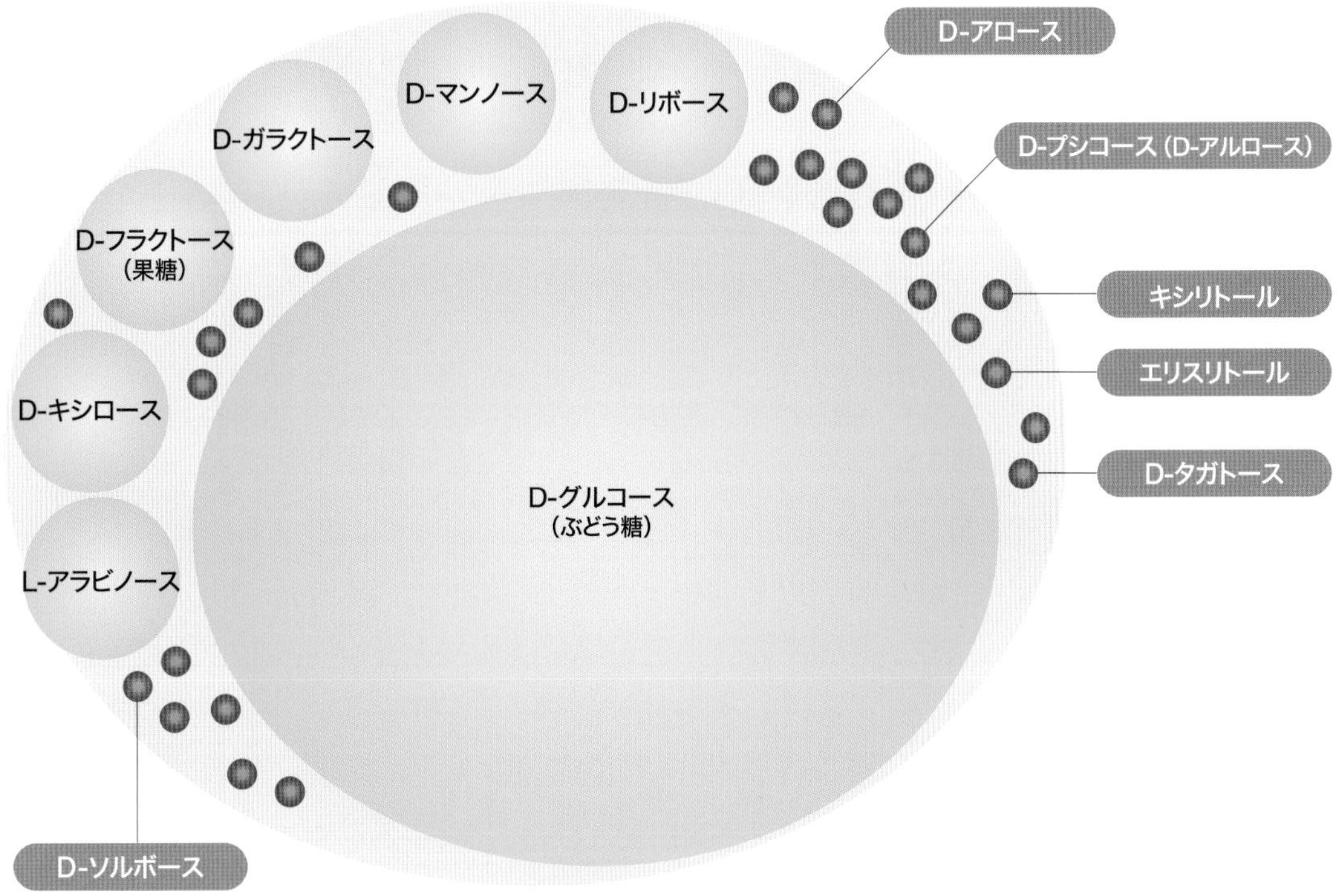

D-グルコース（ぶどう糖）
D-フラクトース（果糖）
D-ガラクトース
D-マンノース
D-リボース
D-キシロース
L-アラビノース
D-アロース
D-プシコース（D-アルロース）
キシリトール
エリスリトール
D-タガトース
D-ソルボース

出所：希少糖普及協会

が発見し、76年に植物が紫外線などのストレスから自分の体を守るために生み出す防御成分「ファイトアレキシン」の一つであることが判明した。

レスベラトロールが人にもたらす効果としては、血管拡張作用による動脈硬化の防止や、脳の血流量の増加による認知症予防の可能性などが報告されている。また、乳がんや肺がんのリスクを低減する可能性、前頭葉の血流亢進による脳機能の改善などの研究も進められている。

このレスベラトロールが長寿遺伝子、抗老化遺伝子とも呼ばれるサーチュイン遺伝子に作用し、活性化することがわかっている。2006年、レスベラトロールによってサーチュイン遺伝子を活性化したマウスの寿命が延びたという論文が『Nature』に掲載された。

最新研究④ サプリメントにもなっている「NMN」がサーチュイン遺伝子を活性化

レスベラトロールと同様に、サーチュイン遺伝子を活性化させる働きがある物質として注目されているのが、「ニコチンアミド・モノヌクレオチド（NMN／nicotinamide mononucleotide）」である。これはビタミンB3からつくられるもので、すべての生物に存在しており、人間の体内でも生成されている。

NMNを動物に与えると、サーチュイン遺伝子を活性化するニコチンアミド・アデニン・ジヌクレオチド（NAD／nicotinamide adenine dinucleotide）がさまざまな臓器で増加し、加齢に伴って生じる疾病が抑えられるとの報告がある。

アメリカ・ワシントン大学教授の今井眞一郎氏による実験では、NMNを1年間マウスに投与したところ顕著な抗老化作用を示したという。2011年には糖尿病に対して著しい効果があることを発見。その後も、アルツハイマー病や心不全などの疾患についても効果があると報告されている。

2016年には慶應義塾大学医学部とワシントン大学医学部の研究グループが、世界で初めてNMNを人に投与する臨床実験を開始している。

薬でエピゲノム状態を変え、細胞のステータスを巻き戻す

最新研究⑤ 糖尿病治療薬「メトホルミン」に不老の可能性

糖尿病治療薬として50年代から使われている「メトホルミン」に寿命を延ばす効果が期待されている。メトホルミンは70年近い使用実績があり、糖尿病患者に処方する薬のなかでも第一選択薬としてポピュラーな存在だ。日本でも幅広く使われており、1錠250㎎の薬価が約10円という安価な薬だ。

2014年、イギリスのカーディフ大学の研究者が回虫に投与したところ、加齢が遅れて、寿命が延びる効果が確認された。マウスへの投与でも40％寿命が延びたことから、糖尿病患者18万人以上に及ぶ大規模調査が実施され、メトホルミンを服用している糖尿病患者はそのほかの薬を飲んでいた患者に比べて、平均8年も長生きしていることが判明した。糖尿病ではない人と比べても、わずかながら寿命が長かった。

2015年には、アメリカ食品医薬品局（FDA）が「老化防止薬」という世界初の目的で、メトホルミンの臨床試験を承認した。この臨床試験にはアメリカ、イギリスの大学や研究機関などが参加し、70〜80歳の高齢者3000人を対象に、同薬を服用する群と服用しない群に分けて、5〜7年の追跡調査を行う。研究者は投薬によって、人間の老化を20年程度遅らせる効果があると予測している。

メトホルミンが寿命を延ばす機序については特定できていないが、古くから多くの患者に処方されてきた薬であり、すでに副作用やリスクについて膨大なデータがある。くわえて、前述のように安価であることか

ら、効果が認められれば、老化防止においても非常に使いやすい薬となるだろう。

最新研究⑥ 免疫抑制剤「ラパマイシン」が加齢による免疫機能低下を改善

臓器移植などの際に、拒絶反応を抑える免疫抑制剤として使われているのが「ラパマイシン」である。このラパマイシンには本来の役割である免疫抑制効果以外にも、寿命延長効果や抗がん作用があるとの報告がある。

2009年に『Nature』に掲載された報告では、生後600日のマウス（人間に換算すると60歳ほど）にラパマイシンを投与すると、未投与のマウスに比べて寿命が28～38％も延び、最大寿命は全体で9～14％延びたとされる。この実験から、ラパマイシンはすでに老化している生物にも効果が見込めると期待されている。

ただし、ラパマイシンは免疫抑制剤のため、ウイルスなどの感染症のリスクがあり、長期間服用すると、浮腫や潰瘍、吹き出物などの皮膚症状が副作用として見られる。また、高脂血症、インスリン感受性の低下、耐糖能異常、糖尿病の発生率の増加、貧血、腎毒性などのリスクが高まる可能性があるなどクリアすべき課題もある。

最新研究⑦ 抗生物質「ドキシサイクリン」が遺伝子変異を抑制

前出のソーク研究所教授のベルモンテ氏によると、遺伝子のオン・オフを決定する細胞内の科学的なスイッチとなるエピジェネティックマーカーをリセットすることにより、早老症のマウスを若返らせる実験に成功したという。

この技術は、研究所において幹細胞を製造する際に使われている。新たな胚の形成時にエピジェネティックマーカーをリセットすることで、細胞はより原始的な初期胚の状態に戻る。同様にクローン動物の作製においても、エピジェネティックな情報をリセットし、親と子のDNAはまったく同じ配列でも、遺伝子変異などの蓄積のない個体をつくり出している。

この技術をすでにある個体に応用できれば、老化した細胞の異常を逆行させ、寿命を30～50年延ばすことも夢ではないという。そのスイッチ役として注目されているのが、抗生物質の一つであるドキシサイクリンである。

実際、ドキシサイクリン入りの水を適量

摂取したマウスは内臓機能が向上し、心臓のポンプ機能も強力になって、30％寿命が延びたという結果が得られている。

ただし、与えすぎたマウスには腫瘍が発生し、すぐに死亡している。はたして、死の水となるのか、人類の夢見た若返りの水となるのか、研究の行方を見守りたい。

永遠の若さを手に入れられたら

最新研究を紹介してきたが、こうした取り組みに対する一番の関心は、現実的にいつ不老の恩恵にあずかれるかだろう。

病気の治療薬の治験は一般に、小動物での実証に3年、人間への臨床試験と承認申請、審査に10年、さらにそこから社会実装されるまでに5年ほどの時間が必要になる。

しかし、老化予防のためのサプリメントや治療薬の人間への有用性を確かめるには、さらに長い年月が必要となるだろう。研究段階から製品化までを含めると、およそ30～50年といったところだろうか。

そうなると、現在の成人のほとんどが新薬の恩恵を享受できないことになる。しかし現実には、有用性を実証している間にも高所得者などが自費で薬やサプリメントを購入し、服用する可能性が高いのではないだろうか。もしくは、消費者の高いニーズにより、一般の人でも手が届く値段で、社会実装される日が思いのほか早く訪れる可能性もある。

過去数千年にわたって実現できなかった不老の夢が、わずか数十年の間に社会実装されることによる社会へのインパクトも大きく、良くも悪くもかつてない事態を引き起こすことは間違いないだろう。

永遠の若さを手に入れた社会とは、どんなものになるのだろうか。

❶労働の変化

定年制度や年金制度が現状のままと仮定した場合、リタイア後の余暇活動の充実度は現役時の経済状況に大きく依存することになるだろう。

いままで定年後に趣味やスポーツを満喫するつもりでいても、気力、体力、感覚の衰えによって思い描いた通りにならなかったものが、経済的に優位な層は十分楽しめるようになる。

一方で、アルバイトなどで引き続き生活費を稼ぎ続けなければならない層も生まれ、QOL格差が拡大する可能性が高い。そのことが社会への不満・不安を招くことも考えられる。

このような格差リスクを軽減するために、「余暇積み立て」のような金融商品が販売されるようになるかもしれない。また、平日の日中に活動する人の数が増え、昼間に限定したサービスの拡充や娯楽施設の稼働率が上がり、レジャー産業が大きく拡大することも考えられる。もちろん、その時は同分野の雇用も大幅に増加するだろう。

とはいえ、労働市場全体では飽和状態となり、希望の職に就ける人はごく一部。さらに、いくつになっても元気に働くことが可能になれば、先輩や後輩、上司や部下といった入社年次による序列制は完全に崩壊するかもしれない。実力主義が進んでいた場合、競争が激化することも考えられる。

もしくは、強烈な官僚主義がはびこり、組織やメンバーの硬直を招く可能性もある。能力のある人がいったん高いポジションに就くと、不老によって能力が落ちないため、なかなか空席ができないシナリオもありうるだろう。

一方で、不老により人手が余り、そこにAIやベーシックインカムなどが行き渡ることで、働きたくない人は働かなくてもいい世のなかになるかもしれない。いままでであれば、能力が高いがゆえに、重責から解放してもらえなかった人がサバティカルを取れるようになる可能性もある。

実際にどこに傾くかは、その時の社会システムや経済、国民性などが大きく影響するだろう。

❷死生観の変化

老いからの解放は、年齢とともに忍び寄る体の変化や能力の衰えからも自由になることを意味する。

一見、幸せなことのように思えるが、体力も能力も高いため、生に対して強い執着心が生まれ、死を恐れる気持ちがいっそう強まるかもしれない。養老孟司氏によれば、病院で死を迎える人が多い現代において、すでに死は日常から遠ざけられた存在になっているという。

一方で、死を感じていく過程を失うため、自分事として死をとらえるのが難しくなるだろう。死への恐れは強くても、今日や明日に訪れることはない問題であり、身辺整理や相続などの終活に取り組むには、相当な意思が必要とされるかもしれない。

2016年、新聞に掲載された宝島社の企業広告「死ぬときぐらい好きにさせてよ」。樹木希林さんの"終活宣言"は人々の死生観に大きな影響を与えた

❸家族関係の変化

すでに述べた通り、疾病の多くは老化に起因する。したがって老いから解放されれば、家族間の介護問題などで悩む必要がなくなるのは明らかなメリットである。

一方で、親子関係には変化が生まれるかもしれない。これまで親が老い、体力や気力の衰えを自覚することで、子に役割を譲ってきた。ところが、親がいつまでも若く元気でいると、衝突する機会が増えることも予想される。

あるいはお互いが友人のような関係になってしまい、いつまでたっても親離れや子離れの進まない、ねじれた親子関係になることも考えられる。

健全な家族関係を築くためには、いまよりも親子のコミュニケーションが重要になるだろう。

ほかにも「とてつもなく年齢差のあるカップルが珍しくなくなる」「二世帯住宅ならぬ三世帯、四世帯住宅が標準になる」など想像は尽きない。いずれにしても、老いから解放されることで、人生をより謳歌できる可能性は高まるだろう。少なくともそのチャンスを死ぬ間際まで持つことができるようになるはずだ。

そして、元気に長く生きれば、おのずと経験や知識が積み重ねられ、個人の力は高まる。ただし、大切なのは自分の人生や社会にその力をいかに還元していくかだろう。個人の生き方や社会のあり方について、十分な議論と準備が必要になる。

健康や若さなど、身体性の拡張が必ずしも幸せにつながるとは限らない。不老の夢をかなえることがゴールではないことを心にとめながら、やがて訪れるであろう不老社会に備えたい。 P

MARINO TAKEMURA

京都大学大学院医学研究科修了。ヘルスケアプランナー。2018年、三菱総合研究所入社。専門は幹細胞専門は発生生物学、幹細胞生物学。官公庁や研究機関の調査研究事業、ヘルスケア関連企業や製薬企業の新規参入支援、戦略立案等に従事。次世代医療の実現や、日本の医療が抱える課題解決につながる、官民共創モデル構築を目指している。

カリフォルニア大学サンディエゴ校 教授

小宮山尚樹

TAKAKI KOMIYAMA

聞き手|三菱総合研究所 研究理事 亀井信一
三菱総合研究所 ヘルスケア・ウェルネス事業本部 主任研究員 谷口丈晃
三菱総合研究所 研究員 劉 瀟瀟(UCSD)
写真|劉 瀟瀟・亀井信一 構成・まとめ|小寺賢一

脳の神経回路の研究で老いからの解放を実現する

神経回路の可塑性や脳の記憶のメカニズムの解明が進むとともに、脳の機能の衰えを補う方法が、いろいろなアプローチから研究されている。近い将来、脳神経分野での先端技術により、年を取っても、脳の若さを維持することは可能になるのだろうか。そして、その技術が社会実装された時、人の意識や社会はどう変わっていくのだろうか。脳の神経細胞研究の第一人者、カリフォルニア大学サンディエゴ校教授・小宮山尚樹氏に話を聞いた。

脳の神経細胞の数は寿命とのバランスを取っている

脳細胞は年を重ねるごとに数を減らしていくといわれていますが、脳の老化は不可避なのでしょうか。

人間の脳の神経細胞は生まれてから10歳くらいまでにできたものがほとんどで、それを一生使い続けていきます。また、老化とともに神経細胞の一部は死んでいきます。そういう意味では脳の老化は自然なことだといえます。

ただ、一部の領域では、大人になってからも生まれてくる神経細胞があります。人間の脳でわかっていることはまだ少ないですが、マウスの脳では、嗅覚の情報を処理する嗅球という領域と、記憶形成の中枢である海馬で、神経細胞が再生されて古いものと入れ替わる「アダルト・ニューロジェネシス（神経再生）」が確かめられています。

これと同様のことを、人工的に脳のほかの部分で起こすことができれば、学習能力という点で脳の老化を止めることが可能かもしれません。

その2カ所だけ、大人になっても細胞が生まれてくるのはなぜでしょう。

嗅球も海馬も特に可塑性の高い場所で、経験によって脳回路をどんどん変えていく必要があるからだと推測されています。

たとえば、海馬では常時、新しい記憶を蓄え、その記憶を脳の別の場所に移す働きをしていきます。

また、マウスの場合、住む環境が季節などによってどんどん変わるので、その時々に応じて、嗅覚に関わる回路を変えていかなければなりません。

そこで新しい神経を足していくという機能が進化の過程で獲得されたのではないかと考えています。

逆にどうしてその2カ所以外は、進化しないまま、早い年齢で成長を止めてしまうようになっているのでしょうか。

必要以上の機能は持たないほうがいいというのが、進化の基本ルールです。頭が大きすぎれば、運動能力が落ちますし、出産も困難になります。神経細胞も無駄に多いと、それを保持していくためによけいなエネルギーを必要とします。

脳の大部分は子どものうちに完成し、大人になってからは、環境に応じてわずかに変えていければ生存していけます。ただし、年齢とともに、その変える能力は衰えていくということです。

このような考えに立つと、その衰えた神経の代わりに、新しい神経を足すことができれば、老化の悪影響を緩和できるようになるかもしれません。

脳は大切な器官なので、がんにならないように新しい細胞がむやみに増えるのを制御している可能性はないでしょうか。

脳には神経細胞とは別の中枢神経系のグリア細胞という部分がありますが、それがどんどん増えることによって脳のがんになることが多いようです。脳腫瘍は病理学的分類によると１００種類以上ありますが、そのうちの約2割をグリオーマが占めます。このグリオーマは再生能力のあるグリア細胞ががん化したものです。そう考えると、神経細胞を人工的に増やすことができるようになった場合、ご指摘の通り、がんが増える可能性はあります。

先ほどの話と矛盾するようですが、神経細胞を増やしただけでは、必ずしも学習能力が向上するとは限りません。なぜなら、脳は全体として機能が最適化されているからです。

ですから、将来１２０歳まで寿命が延びた場合、脳の最適な状態と比較して、どれだけ神経細胞を補うかといった考えになるでしょう。実際、脳の病気には、神経細胞が死んでいくことで発症するものも多いです。パーキンソン病やアルツハイマー病、ハンチントン病なども、そうです。もちろん、神経を増やすだけでなく、減少を食い止める薬も開発されつつあります。

脳の神経細胞の数だけを制御するのでなく、脳全体としてうまく機能させることが大事なんですね。

最近わかってきたことですが、運動学習では、脳の一部である大脳皮質の運動野が使われます。得た情報はいったんこの運動野に保存され、継続的に使われていくうちに、情報は脳のほかの部分へと移されるようです。学習する部位の脳の記憶容量はとても少ないため、すぐ使うことのない情報は別の場所に移して保存し、また新しいことを学べるようにしているのでしょう。

これはコンピュータでいえば、メモリーとハードディスクの関係に似ています。とはいえ、ハードディスクの容量は無限ではありません。現在の脳の機能は、いまの人間の平均寿命に応じたものになっていると考えられますが、将来もっと長生きするようになれば、脳の記憶容量はもっと必要とされるかもしれません。

進化の過程では、こうした変化がゆっくりと起こるので、いろいろなものがアジャストしていく時間がとれます。けれども、先端技術によって寿命が急激に延びた場合、変化のスピードについていけず、何か問題が起こっても不思議ではありません。

人間自身は生物界の頂点にいると思い込んでいますが、脳における人間の特異性とはどこにあるのでしょうか。それとも、ほかの動物の認知や思考能力の延長線上にあるものなのでしょうか。

言語は人間にしかないといっても、言語に近いものを持っている動物は数多く存在します。道具を使うのは人間にしかできないことかというと、カラスにも使うものがいます。だから、人間の能力は基本的にはほかの生物が持つ能力の延長線上にあるものだと私は思います。

ただ、大量の情報を短期間で脳に蓄えられる点では、人間は特別な存在といえそうです。またその蓄え方の複雑さでいえば、人間が一番であることは間違いありません。

私の研究室では行っていませんが、最近、

遺伝子発現プロファイルによって、脳神経の細胞のタイプを定義していくのが流行っていて、多くの研究者が取り組んでいます。遺伝子の発現パターンを一つひとつの細胞で見ていき、そのパターンによって分類すると、人間でしか発見されないタイプの細胞が脳にはあるという研究成果が発表されています。

もし本当にそうした細胞があるのなら、その細胞が何をしているか追究することは重要な課題です。人間の脳には、特殊な演算を行っている未知の細胞がまだ残されている可能性があるのです。

脳の不老の夢をテクノロジーはかなえるか

先ほど長生きするようになると、脳の記憶容量がもっと必要になるというお話がありましたが、SFの世界では、人の記憶を外部装置に保存したりします。

最近、私たちの研究室とほかのマテリアルサイエンス、データサイエンスの人たちと共同で、脳の機能の一部を、外部のマテリアルに落とし込むことができないか、研究を始めたところです。

私たちの研究室は脳の神経一つひとつの活動を記録する最先端の技術を持っていて、動物の活動と脳神経の活動の関連性が少しずつわかってきています。こうした脳の活動のパターンをマテリアルに落とし込むことができるようになれば、記憶の外部装置への移植はSFの世界の話ではなくなってくるでしょう。記憶だけでなく、脳の機能の大部分をマテリアルに落とし込むことも可能になるかもしれません。

またその際、脳の演算の働きを、いまのコンピュータの仕組みに完全にコピーすることだけが正解だとは思っていません。共

TAKAKI KOMIYAMA

2001年、東京大学理学部生物化学科卒業。2006年、スタンフォード大学で博士号（神経科学）取得。ハワード・ヒューズ医学研究所ジェネリア・ファームなどを経て、2010年、カリフォルニア大学サンディエゴ校教授。主要な研究成果としては、マウスを使った実験によって学習中の脳神経活動の可視化に成功した「大脳皮質の微小回路の学習に関連した可塑性」（2014年）などがある。

同研究ではさまざまなマテリアルを試してみる予定でいますが、アナログ信号を使ったほうがうまくいくマテリアルもあるかもしれません。とはいえ、脳の神経細胞の信号はコンピュータと同じ「0」「1」と見なすことができます。人間の脳も、マウスの脳も、この点については違いがありません。記憶は神経細胞同士のコネクションによるものであるのも同じです。

各神経細胞が基本的には「0」の状態であり、それがたまに「1」の状態になるだけです。それを人間の脳全体にある千数百億個の細胞の一つひとつが行っているのです。その意味では、いまのコンピュータでも脳の機能を真似できるのかもしれません。

もし脳の機能を丸ごと外部にコピーできたとしたら、人間と同じように意識を持ち、自律的に何か新しいものを創造したりするようになりますか。

意識がどういうものなのか語る人はいますが、はっきり言うと科学的にはわかっていません。私たち神経科学者としては、脳の全機能が明らかになれば、意識を〝魔法〟のようなものではなく、生物学的なものとして理解できるようになると信じています。

そして、すべての脳の活動パターンが意識の源なのだと考え、細胞一つひとつのレベルで脳の活動を理解しようとします。それをマテリアルに落とし込むことができれば、そのマテリアルは意識を持っていると考えることができるでしょう。

ただ、このように人間の脳の機能を人工的に再現できるようになると、意識の定義も難しくなってくるかもしれません。たとえば、何十年間も植物状態だった人が回復してみると、実際には意識があり、話ができないだけだった、というケースがたまにあります。他者とコミュニケーションを取れなければ、意識があるかどうかまわりからはわかりませんが、本人に意識があることもあるわけです。

同じことが、脳の機能をコピーしたマテリアルにもいえるかもしれません。

現実社会に目を戻すと、すでに高齢者の介護が問題になっています。不老社会の実現に向けて脳関連のテクノロジー面で、サポートを期待できるものはありますか。

私たちの研究しているものでは、BMI（ブレイン・マシーン・インターフェース）の技術です。先ほどもお話しした通り、脳の活動を記録する技術はどんどん発達していて、脳の活動を読むことができるようになっています。

たとえば、私の脳の活動をAIや機械学習などを使って細胞単位でとらえ、コンピュータや人工の腕を操作するといったことが可能になってきています。右手を動かそうと思うだけで、右手の代わりとなる道具が意図した動きをしてくれる。老化で体が弱ってきた時に、腕や脚の機能を道具で代替することが可能になるということです。

また、人間とコンピュータの関係も変わってくるでしょう。現在のように人間がコンピュータの使い方を覚えるのではなく、コンピュータが使用者のことを学習して、脳の活動で動くようになっているかもしれません。近い将来、少なくともキーボードなどの入力装置はなくなっているでしょう。

これらの技術が実現できれば、超高齢化社会に役立つと思います。

限界を超えた認知能力を手にする人間の「幸せ」とは

脳の活動を記録・再現できるようになると、倫理面への配慮や社会的な合意形成、さらに法整備など解決すべき問題があるように思います。

研究・開発を進めるに当たって、倫理面などの問題や社会への影響を考えることはとても大切だと思います。ゲノムの編集技術「CRISPR-Cas9（クリスパー・キャス・ナイン）」を使って遺伝子を書き換え、デザイナーベイビーをつくる是非について多くの議論がなされていますが、私は基本的に反対の立場です。

しかし、病気だとわかっている場合は、治してあげたほうがよいと思います。だから、どこまでが許される範囲かを決めるのは、非常に難しい問題です。こうしたことを議論するには、世界的な合意形成が必要になります。

とはいえ、グローバル社会である現在、日本だけで法規制を行っても、ほかの国がやりたい放題では意味がありません。国家間、あるいは研究者間で足並みをそろえるのは容易なことではありません。

不老から話は逸れますが、マーケティングなどでも、脳科学によるアプローチが増えてきていて、倫理的な問題が危惧されています。

すでにあちこちで小さな問題が起きています。たとえば、グーグルやフェイスブックがさかんに個人情報を収集していますが、どのように活用しているのかは知られていませんし、ほとんど規制もされていません。

インターネットやSNSの検索履歴による広告表示も、ある意味、個人の脳の活動パターンを読んで書き込んでいるわけです。「こんなことを考えているなら、これがほしいだろう」といったことです。

あまり侵襲性のないレベルのため、見過ごされていますが、将来的にもっと侵襲性のあることが可能となれば、個人がコントロールされる危険性が出てきます。これが、もし政治的なプロパガンダなどに利用されてしまうと、社会に及ぼす影響は計り知れないでしょう。ですから、いまのうちにきちんとしたプラットフォームを構築していかなければならないと思います。

人間の寿命が120歳まで延びて、死ぬ間際まで高い認知能力が保たれるような世のなかになった時に、生き方や幸せの形はどのようになるとお考えですか。人生の目的や死生観などにも影響がありそうです。

難しい質問ですね。私には小さい子どもが2人いまして、もちろん幸せになってほしいと思っていますが、幸せとは何かを考えるとわからなくなってしまいます。

私だけでなく、ほとんどの親は子どもの幸せを願っていると思いますが、人によって幸せの定義も、育て方も違います。さらにいえば、親と子でも幸せについての考え方が一緒であるとは限りません。

ただ、そうした考えの違いを、むしろこれからは大切にしていくべきかもしれません。どんなに技術が発展し、便利な社会になっても、個性というか、個人差は減らないほうがいいと、私は思っています。すべての人が120歳まで生きて、みんなAIを使いこなして、能力も同程度になってしまったら、つまらない世のなかになってしまうのではないでしょうか。

幸福度をホルモンで制御する話もあると聞きます。いまのお話をうかがっていると、そう単純なことではない気がします。

抗鬱病薬など、精神状態に影響を及ぼす薬は効く人にはかなり効果的です。生理学的に幸せな状態になることは、一時的には存在します。

しかし、人生における幸せとは、あらゆる経験を含めての幸せではないでしょうか。よい時や悪い時、アップダウンあっての人生です。病気の場合には薬は必要ですが、長期的には自然な形で幸せになることを目指すことが大事だと思っています。

あらためて今回の本テーマに戻りますが、私たちが老いから解放されることで、より多くの経験を積み、焦らず幸せを探していけばいいということでしょうか。

多様性は、生物が生き残るためのいちばんの戦略です。それに、みんな一緒だったら、自分の存在意義も薄れてしまうでしょう。不老を獲得するだけでなく、いろいろな生き方や幸せがあって、世界が色彩豊かに彩られてこそ、テクノロジーの進歩に意味があるのだと思います。Ⓟ

香川大学 農学部 教授

秋光和也

KAZUYA AKIMITSU

聞き手｜三菱総合研究所 ヘルスケア・ウェルネス事業本部 主任研究員 池田佳代子
写真｜貝原弘次　構成・まとめ｜山際貴子

40億年前から存在する希少糖が生命科学の最前線を切り拓く

40億年前はどこにでもある糖として存在していた希少糖は、生物の進化の過程でエネルギー源として選ばれず淘汰された。いまや自然界に微量しか存在しない希少糖だが、香川大学の何森健（いずもりけん）名誉教授らのグループは微生物の持つ酵素を活用することで希少糖の生成に成功した。そしていま、希少糖は抗肥満や老化を遅らせる「夢の糖」として注目されている。微生物の力で甦った希少糖が私たちの社会をどのように変えていくのか、香川大学教授・国際希少糖研究教育機構の秋光和也氏に話を聞いた。

微生物が受け継いできた希少糖の知られざる力

希少糖の人気が高まっていますが、通常の糖との違いはどこにあるのでしょうか。

糖というのは一般に単糖類のことを指し、ブドウ糖（D－グルコース）や果糖（D－フルクトース）など、それ以上加水分解できない糖類のことです。この単糖が2つ結合したものが二糖類、2～10個程度結合したものが少糖類（オリゴ糖）です。それより多いものは多糖類に分類されます。

単糖類であるブドウ糖は植物の光合成によって生成され、果糖と結合してショ糖もしくはブドウ糖が連結してデンプンとして保存されます。根、花、茎で使用する場合はブドウ糖と果糖を結合したショ糖の状態で運び、運んだ先で切り離して栄養源にします。同様にほかの生物も糖を体内に吸収すると、必ず単糖類に分解して吸収します。

ただし果実だけは、切り離した後にブドウ糖だけをエネルギー源として使い、果糖を残します。砂糖の約1・4倍の強い甘みを持つことで、ほかの生物に食べられやすくし、早く種子を拡散するためと考えられています。ちなみに、スーパーマーケットで「糖度15度」というように表記していますが、これは果糖の「濃さ」を表します。

先ほどブドウ糖は植物の光合成で生成されるとお話ししましたが、地球上に生物が誕生したのは約40億年前です。それ以前にも糖は存在していて、ホルモース反応（ホルムアルデヒドから糖を合成する化学反応）により、糖混合物が生成されていたと推測されています。当時はブドウ糖や果糖以外にも多様な単糖が大量に存在していました。

しかし、バクテリアのような単細胞生物が出てきた時からエネルギー源としてブドウ糖が主に使われるようになり、生産も消費もブドウ糖を中心に進化し、そのほかの使われない糖は地球上における存在量が徐々に少なくなっていったと考えられます。

現在では、栄養源として使われ、自然界に大量に存在する単糖は、ブドウ糖、果糖を含め、7つほどしかありません。それ以外の糖も存在しますが微量で、基本的にエネルギー源としては使われていません。

希少糖とは、こうした自然界に存在する量の少ない単糖とその誘導体の総称です。砂糖はブドウ糖と果糖がつながった二糖で、切り離されたブドウ糖、果糖に熱を加えると何%かは希少糖に変換されるため、ケチャップやケーキなど砂糖を加熱したものには必ず希少糖が含まれます。つまり、人間が火を使い始めて以来、ずっと口にしてきた安全な糖なのです。しかも、エネルギー源としては使われないため、カロリーがほぼゼロであることに加え、血糖値や血圧の上昇、内臓脂肪の蓄積を抑制するといった効果や抗酸化作用などが確認されています。

香川大学は希少糖研究のパイオニアといわれています。経緯を教えてください。

希少糖は約50種類ありますが、自然界に微量しか存在しないため、重要な機能があるとは思われず、だれも研究対象としてきませんでした。しかし、香川大学農学部では、1970年頃から何森健教授（現・名誉教授）が中心となり、希少糖の研究を進めてきました。20年以上の歳月をかけて、全国5000カ所もの土壌で微生物を調査し、1991年に農学部食堂裏の土壌から、果糖を希少糖の一つであるD－プシコース（国際名：D－アルロース）に変換させる酵素を持つ微生物を発見するに至りました。「希少糖」の名づけ親は何森先生です。

何森先生の発見はそれだけではありません。酵素を使ってD－プシコースを生成できるようになると、今度はそのD－プシコースに別の酵素を混ぜて新たな希少糖を生成することに成功しました。使用する酵素は、酸化・還元・異性化の3種類の反応を触媒する酵素群ですが、これを繰り返すと、自然界にある約50種類の希少糖がすべて生成でき、最初のD－プシコースに戻ります。このつながりが円になることから、「Izumoring（イズモリング）」と名づけられています。イズモリングは言わば、希少糖の効率的な生産設計図であり、いまでは香川大学はすべての希少糖を供給できる世界唯一の研究機関となっています。

本学は希少糖に関する唯一の学会である国際希少糖学会の本部でもあり、2019年12月に開催した第7回の学会には、13カ国から200名以上が高松を訪れました。

希少糖にはどのような機能や機序があるのでしょうか。

希少糖D－プシコースは、6つの炭素から構成されるブドウ糖や果糖などの単糖と非常に似た構造を持っています。果糖の3つめの炭素の左側にOHが結合していますが、右側に結合しているのがD－プシコースです。

二糖である砂糖は酵素で分解されて単糖のブドウ糖と果糖になり、単糖の形でエネルギー源として吸収されますが、D－プシコースを砂糖と一緒に摂取すると、砂糖をブドウ糖と果糖に分解する酵素の働きを鈍らせて、エネルギー源の吸収率を下げます。その結果、先述のように、カロリーを減らして抗肥満効果や、血糖値の急激な上昇を抑えるなどの効果が得られるのです。約50種類ある他の希少糖にもさまざまな機能性があり、その機序が解明されつつあります。

また、希少糖のなかで最も知られているキシリトールは甘みがありながら、歯を溶かすほどの酸をつくらないため、虫歯になりにくく唾液の分泌や歯の再石灰化を促す作用もあり、虫歯を予防します。高い機能性があっても、味が悪いと食品には使えませんが、その点、希少糖はさわやかな甘みです。希少糖含有シロップは純粋な甘味料としても、延べ2500品目の食品に採用されています。この希少糖含有シロップは2019年に機能性表示食品にもなっています。

食品から医薬品へ用途の拡大を目指す

希少糖は、白砂糖やグラニュー糖などに

代わるものになるのでしょうか。

砂糖などの糖質は効率のよいエネルギー源で、生き物には不可欠なものです。また、砂糖のもとになるデンプンを含んだ作物や、さまざまな糖質・食物繊維は生き物の重要なエネルギー資源です。ですから、砂糖の代わりというより、砂糖と一緒に使うことで砂糖のカロリー過多という弊害を抑え、付加価値をより向上させる使い方になると考えています。同じ量の砂糖より、砂糖と希少糖を混合させることで、カロリーを自動的に落とすことができれば、砂糖の付加価値をさらに上げることができる素材となる可能性を秘めていると思います。

希少糖は味の主張が強くないため、砂糖と混ぜても砂糖の味わいを残せます。いままで砂糖10グラム使っていたところを8グラムに減らし、2グラムを希少糖に置き換えるだけで摂取カロリーを減らせます。肥満は多くの疾病の引き金となり、医療費の高騰につながる世界的な問題です。そのため、商品中の含有カロリーを近年中に下げると宣言している世界的大企業もあります。希少糖は甘みを保ったまま混ぜるだけでカロリーを抑えられるので、大きなビジネスチャンスを生む可能性がありそうです。

希少糖を混ぜることで砂糖の付加価値が上がり、売上アップにつながるのではないかと想像します。食品メーカーや飲食店、小売店にしても、カロリーを抑えられれば、その分、もう一品食べる人が増え、売上げの向上が期待できるといった可能性を秘めています。

2019年8月に希少糖を使ったシロップが初めて「低GI甘味料」として、機能性表示食品に認定されました。

現在、希少糖の社会実装は食品分野を中心に展開しており、機能性表示食品に認定

KAZUYA AKIMITSU

1992年、ミシガン州立大学大学院自然科学研究科植物学および植物病理学博士課程修了。92～94年、米国エネルギー省ミシガン州立大共同植物研究所ポストドク研究員（93～94年日本学術振興会特別研究員）。95年9月～2005年10月、香川大学農学部助教授。2002～2006年、JST戦略的創造研究推進事業さきがけ21研究員、2005年11月より現職。

されたことは大きなニュースでした。しかし、先にも述べたように、約50種類ある希少糖にはさまざまな機能があることがわかってきていて、今後は医療寄りの流れも活発化してくると思います。欧米は医食同源の意識がアジア諸国と比べて低く、ノンカロリーという性質は受け入れられても、「低GI」や「抗肥満」という機能性を訴求しても消費者に響かないようです。

一方、東アジアから東南アジア・中東に至る諸国であれば、医食同源の感覚が共有でき、わが国と同じ訴求ポイントで広くビジネスターゲットになると考えています。実際、希少糖に興味があるということで、アジアのさまざまな国々から香川大学の希少糖生産ステーションを訪ねてこられます。

希少糖にはアンチエイジング（寿命延長）効果も期待されています。

当学の佐藤正資教授らのグループでは、線虫にD－プシコースをエサとして与えると、寿命が延びることを実験で確かめています。寿命延長には、細胞内エネルギーレベルを調節するAMPK（リン酸化酵素）が必須です。D－プシコースには糖代謝の調節機能があり、また線虫の体脂肪を減少させ、抗酸化酵素の発現量と酵素活性の向上が観察されることから、既報の寿命延長のメカニズムと似ています。長期にわたる機序研究がまだ必要ですが、生物はエネルギー不足の状態になると、体を守るためにさまざまな防御反応のスイッチも入ります。その結果、寿命が延びる可能性があると考えます。

老化を遅らせるという面では、化粧品や医薬品としての活用も注目されます。

保湿剤や化粧品には、糖がかなり含まれています。もともと糖には肌荒れや老化につながる活性酸素を除去する働きがありますが、希少糖は現在使われている各種糖とは異なる物性を示します。医薬や農薬などの創薬や予防医学の観点でも用途があると考え、さまざまな研究を進めています。

一般に素材の効果は、そのメカニズムがわかっていないと創薬などに活かすことはできません。その点、希少糖はブドウ糖や果糖と構造が似ていて、引き起こされる現象の作用機序を、それらとの比較で理解できる可能性が高く、創薬などにつなげることはおそらくできると思います。希少糖は約50種類ありますから、役割や使う用途によって、活用範囲も広がるでしょう。ただ、開発企業は認可を取るために、巨額の資金を投入しなければなりません。経営層が投資の決断をしやすくするためには、希少糖の知名度を上げる必要があります。

現状、香川県では希少糖が甘味料の一つとして広く使われ始め、関西でもかなり認知されています。2018年に『広辞苑』第7版に「スマホ」「アプリ」などと並んで、「希少糖」と「プシコース」が入りました。これを弾みに、食品を中心に認知を広めていければ大変嬉しいです。

用途を広げるには、低コスト化も課題になりそうですね。

食品と医薬品では、商品化のハードルが異なります。食品に使われている一般的な砂糖・糖質は非常に安価で、食品メーカーに希少糖を利用してもらうには、超大量生産をして価格を引き下げる必要があります。一方、医薬品分野では問題のポイントが違います。食品ほど量を必要としないため、生産価格のハードルは下がりますが、許認可を取るために膨大な時間・コストがかかります。

希少糖の生産ノウハウはある程度確立できていて、生産量が多くなければ、微生物を扱う酒造メーカーや酢・味噌醸造メーカーの持つノウハウでも対応可能な範疇にあるといえるかもしれません。

産業界や地域との連携で経済・地方・社会を活性化

希少糖を使った商品の開発に際し、産業

界とは、どのような連携を図っていますか。

食品や医薬品以外にも、ペットフード、洗剤、セメントなど、あらゆる産業で糖は使われています。そこで、希少糖に置き換えてみるとどうなるかを調べてみませんかと、各業界のトップ企業に共同研究を打診しました。幸い多くの企業に興味を持っていただき、複数の共同研究がスタートしました。

そうなると、幅広い研究分野を網羅することになり、特定の学部のみでは対応し切れません。そこで、2016年に設置された国際希少糖研究教育機構という全学部からなる組織が機能的に動き始めました。現在、当機構には他学部の72名の教授陣が当該学部との併任で帰属し、数十に及ぶ希少糖に関する研究課題を進展させています。

産学官連携は、社会実装という同じ方向を向いていても、お互いの最終目標が必ずしも一致しないため、協力体制を維持するのが難しいとよくいわれます。大学はアカデミックの分野でグローバルに名を上げたいと思っていますし、自治体はグローバルな利益よりも地域の経済振興が優先。そして、企業は当然ながら自社の利益が第一のため、プロジェクトが進んでいくにつれ、3者で対立することが少なくありません。

しかし、香川地域ではそのようなことがあまり起きていません。希少糖自体の魅力を産学官の関係者が十分感じながら進めていることが大きな理由ですが、緩く折り合いをつけながら連携して、この一大事業を前に進めていこうという雰囲気があります。

事実、香川地域における希少糖研究は産学官連携がうまくいっている珍しいケースとして、さまざまな機会・場面においてモデル地域の一つとして位置づけていただいています。

事業化に伴い、大量生産が必要になります。どのような取り組みが進んでいますか。

希少糖の大量生産に当たっては、酵素学的手法・化学的手法が不可欠ですが、天然にこだわる場合には直接植物から採取する方法もあります。

実は希少糖のD－プシコースとアリトールを生産する植物が、一つだけ存在することがわかっています。「ズイナ」という木です。日本では近畿、四国、九州の山中で野生しています。ズイナ生葉の5%が希少糖という報告もあります。ズイナからこれだけの量を抽出できれば工場がなくても希少糖をつくることができそうに思われますが、ほかの成分も含まれていて抽出・精製が大変なため、生産材料に使われるにはまだまだ時間がかかりそうです。

本学の農学部・医学部は三木町にありますが、この町の小蓑（こみの）という山村の廃校を利用してできた希少糖生産技術研究所で何森先生が中心となり、小蓑の地元の皆様の協力を得てズイナの栽培を開始しています。農家の高齢者のグループ、通称「小蓑ズイナーズ」の皆様のおかげで、月に何千本もの苗量を生産可能な体制が整っています。もともと農業をしてきた人ばかりなので栽培ノウハウや植物のことを熟知しており、栽培条件の設定についてアドバイスもくれます。栽培作業で収入を得られ、社会に貢献する仕事なので、国からも地域活性化につながる取り組みと認められ、2017年度ふるさと名品オブ・ザ・イヤー政策奨励賞を受賞しました。

サステナビリティの実現に向けた取り組みともいえそうです。

希少糖は自然界で分解される天然物であり、安全性の高い素材です。環境問題、安全性問題がクローズアップされると、商品を開発する際にも制約が増えてきますが、希少糖はそういった制約をクリアできるので、高い価値が創出できると思います。

香川大学では、何森先生が始められた、40億年の歴史のなかで積み重ねられた無数の検証を現代に甦らせる研究を継続し、その成果を未来に活かしていくことで、自然と調和した生きがいのある社会をつくっていくことができると考えています。 P

100年長寿時代を実現する 2つの長寿テクノロジー

かつては夢物語とされた長寿テクノロジーも、現在では新しい成長分野として大きな注目を集めている。それを10年前に予言したのがシンギュラリティ大学の創立メンバーであり、テクノロジーアナリストであるソニア・アリソン氏だ。世界的なベストセラー『寿命１００歳以上の世界（原題100 Plus）』の発刊以後、その技術、社会、市場はどのように変化しているのか。またそうしたなかで、新しいビジネスチャンスはどのように生まれるのだろうか。

テクノロジーアナリスト
ソニア・アリソン
SONIA ARRISON

聞き手｜三菱総合研究所 山口将太
写真｜鍋島明子　構成・まとめ｜瀧口範子

『寿命１００歳以上の世界』のその後

著書『寿命１００歳以上の世界』が出版されてから約10年になります。科学技術の進歩により、寿命１００歳超えがあたり前の時代がやってきて、とてつもなく年齢差のあるカップルが誕生したり、65歳で引退すると、その後の人生が退屈になるなどの未来像を示しています。この10年で長寿テクノロジーはさらに発展しましたが、その後の変化をどのように見ていますか。

ずいぶん、たくさんの変化が起こりまし

た。科学の章だけをとっても、かなり時代遅れになってしまったように思います。当時研究室でマウスを使って実験されていたことが、いまでは臨床試験段階に入っていたりします。私の生活も変わりました。進歩に合わせるために、本の改訂版を書くつもりでいましたが、当時インタビューした科学者の多くが、「もうテクノロジーが十分に進んだから、これを基に起業したい。だれか投資してくれる人はいないか」と問い合わせてくるようになったのです。私の夫がベンチャーキャピタリストということもありますが、私自身もエンジェル投資家になりました。彼らの研究内容はよくわかっていますから、本の改訂よりもそうした研究への投資を優先したのです。

投資の対象は、長寿に関連したテクノロジーですね。

そうです。長寿テクノロジーには、シリコンバレーの大手ベンチャーキャピタルも目を向けています。10年前に長寿テクノロジーなどと口にすると、夢物語と笑われたものです。それがいまは、儲けを生むものと見なされるようになったということです。

現時点で、どんな長寿テクノロジーが有望だと思いますか。

ワクワクするようなものはたくさんあるのですが、AI技術の進展がさらにそれを拡大しているようです。AIはいくつかのバイオテクノロジーと歩調を合わせて発展し、科学分野の風景をガラリと変えてしまいました。私自身が投資をしている会社には、たとえば写真から皮膚の状態を診断する技術を持つ会社があります。皮膚がんや乾癬などを、医師よりも正確に判断する。これまで生体検査が必要だった診断が、写真だけでできるのです。ほかの細胞への影響なしに、固形腫瘍を分子標的治療するテクノロジーにも投資しています。まもなくカナダで臨床試験が始まりますが、成功すれば価格も安く済む治療法となります。

病気を治し身体を入れ替えるテクノロジー

100年寿命はいつ現実になると予想していますか。

予想より早いのでは、と楽観的に見ています。私がインタビューしたなかにも、「科学はいつも早めにやってくる」と言っていた科学者もいました。ただ、何かブレークスルーが起こると皆が沸き立つのですが、その時期まで正しく予想できないのが、科学の問題でもあります。

一方、これだけの投資が流れ込んでいて、人々の関心も高まっていることを考えると、現実味は増してきたといえるのではないでしょうか。一般的なメディアでさえ、新しいテクノロジーにより、人間は〝修理〟できることを理解するようになってきました。薬を飲めばちょっと長生きできるようになるというのが古いパラダイムでした。しかし実際には、心臓病の薬は症状を抑えられても、心臓そのものを修理してはくれません。いま科学者たちが取り組んでいるのは、まさに心臓を修理してくれるような方法です。修理が終われば、これまでのように健康に生きていけるというものなのです。

病気を治す技術が発達し続けていった結果、長寿になるというアプローチと、いずれ身体の一部分を入れ替えるようになり、それが長寿に結びつくというアプローチは、長寿テクノロジーの分野では、別々のものとしてとらえられているのでしょうか。

科学コミュニティには、はっきりと分断があります。一方は、身体のあちこちを治療していくことで少し長生きできるようになるという考え方。もう一方は、システム全体をとらえることで長寿が実現できるという考え方です。これは、いまでも熱い議論の対象です。

たとえば、オーブリー・デ・グレイ(注1)は、身体で7つのことを修理できれば、人間は永遠に自分で修理を繰り返すようになるという理論の持ち主です。それに対して、シンシア・ケニヨン(注2)の理論は、特定の遺伝子に手を加えれば、身体全体が修理モードに変わるというものです。彼女は虫の実験でそれを実証しています。どちらのアプローチも、うまくいけばいいわけです。

100年寿命について語る際には、その両方のアプローチは同列なわけですね。

そうです。実際、この分野のスタートアップも両方にまたがっています。再生医療によって臓器を新たにつくる試みは治療としてのアプローチですが、老化細胞除去薬の開発は身体全体をメンテナンスするものです。老化細胞は体内で炎症を起こす化学物質を発生させますが、それを抑えようとする試みです。いずれのアプローチも技術によって市場が形成されれば相当大きな影響をもたらすでしょう。がんをすぐに治せなくても、発生を先送りすることはできるかもしれません。

長寿テクノロジーの社会における理解

FDA(アメリカ連邦食品医薬品局)の承認プロセスが新しい治療薬や治療方法に関わるものに限られていて、長寿テクノロジーのシステム的なアプローチには適していないと指摘されていました。この10年でFDAのプロセスも含め、社会制度は長寿テクノロジーを考慮する方向へと変わりましたか。

まだそうした方向は定まっていませんが、そちらへ向かい始めているとはいえます。今回の取材に先だって、デイビッド・シンクレア(注3)と話した際、彼はこれからFDAがワシントンで行うヒアリングに出かけると言っていました。そのヒアリングは、老化を病気ととらえるかどうかを話し合うものだというのです。糖尿病やがんは老化とも関係していて、いずれも年齢とともに発症率の高まる老化病でもあるわけです。また、ちょうど昨夜、前述したデ・グレイが開催したイベントでは、保健福祉省の副長官が出席してスピーチもしました。10年前には考えられなかったことです。ゆっくりではありますが、考え方は変わっており、いずれ老化を病気ととらえる視点に落ち着くのではないかと見ています。

つまり、老化は操作可能であるという意識が共有され始めたということでしょうか。

その通りです。もちろん、老化の仕組みのすべてが明らかになったわけではなく、まだまだ我々は神秘を発見し続けています。ちょうど何十年も前に、脳とは石のように固定したものではなく可塑性があって、い

注1)
イギリスの著述家、老年学者

注2)
アメリカの分子生物学者、生物老化学者。カリフォルニア大学サンフランシスコ校生化学教授。アルファベット傘下の老化研究ベンチャー、カリコの創業メンバー

注3)
ハーバード大学医学大学院教授。長寿や若返り研究の第一人者

つも新しいことが学べると発見したのと同じです。シンシア・ケニヨンは、実験動物レベルでは生命には可塑性があって、操作可能であると知った。けれども、まだその方法を我々は会得していないのです。

長寿テクノロジーが話題になり始めた頃、永遠に生きられる可能性について語る人々もいました。不死と長寿の関係はどう見ていますか。

永遠に生きられる人はいません。病気でなくても、事故に遭ったりテロの犠牲になったりするかもしれない。新しい病気が出てくることもある。長く生きるほど、そうしたことに遭遇する危険も増します。

長寿時代を迎えて変化する死生観

脳の活動はどうでしょうか。いまでも我々は過剰な情報の処理に悩まされていますが、長寿時代が来れば、受け取る情報量はもっと増えます。そうした自分の記憶も含めた大量な情報をどう処理し、保存するようになるのでしょうか。

その部分については、当時は時期尚早だと感じて、著書で触れませんでした。いまこそ、考えるのにいいタイミングです。私は、健康で長生きすると、深刻なアイデンティティの危機に直面すると考えています。人は人生を通して変化していき、7歳の時、15歳の時、20歳の時、40歳の時で、それぞれ違った人間性を持っているわけですが、これを100歳、110歳と続けていくと、いったい自分は何者なのか、という意識が芽生えてくるのではないかと考えています。そのため、長寿時代にはメンタルヘルスの重要性が増すでしょう。

情報や記憶については、人間と機械が融合するといったことが起こるかもしれません。少なくともシリコンバレーでは、そうした考えを持つ人が多いです。ただ、テク

SONIA ARRISON

「シンギュラリティ大学」の創立メンバー、アカデミック・アドバイザー、理事。パシフィック・リサーチ・インスティテュート（PRI）の上席研究員、ネットメディアTech News Worldのコラムニストも務める。メディアにしばしば寄稿し、ゲストとしても登場するほか、CNN、ロサンゼルス・タイムズ紙、ニューヨーク・タイムズ紙、ウォール・ストリート・ジャーナル紙、USAトゥデイ紙などでその研究が紹介されている。

ノロジー・ギークは関心があっても、多くの人は頭にUSBを挿入したいとは思わないでしょう。あまりに不自然で人間的でないため、実際にどの程度まで融合が起こるのかはわかりません。一方、DNAを利用したコンピュテーションや、DNAロボットも研究されています。そうした有機的な素材によってつくられるロボットのような生物的ハードウエアが、記憶増強のために使われるかもしれません。

長寿になると、「いつ死ぬのか」「どう死ぬのか」と、かえって死を意識することが多くなりそうです。その結果、人々がリスクを避けて行動が保守的になるようなことは起こらないでしょうか。

それは難しい問題で、現にそのように考える人もたくさんいます。しかし、私は結局、個々人の性格によるのではないかと思います。心理学者らに聞いてみたこともありますが、子ども時代に保守的な性格の人は大人になってもそうであり、リスク好きな人も人生を通してずっとそうだったりする。環境に影響を受けることはあっても、だいたいのことは持って生まれた性格に左右されるのです。ただし、足の骨を折ってもすぐに修理できるなら、バンジージャンプでもやってみようという気になる人が増えるのではないでしょうか。

著書のなかでは、宗教についても興味深い見解を述べられています。長寿になると人々は宗教を必要としなくなるのではと思っていたら、どうもそうではないようだとおっしゃっています。

宗教が下火になったのは東欧、中国、ロシアなどで政府が抑圧した時代だけで、人々はいつもスピリチュアリティや生きる意味を探してきました。私は最初、宗教とは死に関わるものだと思っていたのですが、ほとんどの宗教は生きるためのガイドブックであるわけです。ですから、長寿になればなるほど、生き方の指針が必要になり、宗教の重要性はさらに増すのです。

ただ、人生の意味を探す助けになるような宗教は支持を得るでしょうが、死に焦点を合わせるような宗教や、人々を箱に閉じ込めるような原理主義的宗教は支持を失うと思います。

現在の一般的なライフサイクルでは、20歳頃までに社会的存在として自立し、40歳頃にはキャリアや家族生活での目標を達成し、60歳頃にリタイアするというフェーズやロードマップが共有されてきました。その後がまだまだ続くということになると、そのフェーズはどうなりますか。

人生を前進していくための、さらに新しいフェーズが生まれるでしょう。本を書いている時、未来を考えるために過去をよく調べたのですが、アメリカ人の平均寿命が43歳という時代もありました。人生が非常に短かった当時はティーンエージャーというフェーズはなく、子どもからいきなり大人になりました。

今日、90歳まで生きるようになって、青年期というフェーズがつくられました。20代や30代の彼らはサンフランシスコやマンハッタンに住み、子どもはおらず、同年代の仲間といつも一緒にいる。また、リタイア後にもすでに新しいフェーズがあって、「サード・エージ」と呼ばれています。新しい職に就いたり、新しいことを学習したり、これまでの知識を利用してコンサルタントになって稼いだりする。リタイア後であっても、まだ健康でちゃんと仕事もできるのです。ですから、長寿時代には、人生にたくさんの区分が生まれるでしょう。

そうした未来社会でうまくやっていくのは変化にオープンな人々で、変化に対応できない人は苦しいでしょう。なぜなら、すべてがいつも変わり続けるような時代になるからです。

少なくとも現状では、長寿テクノロジーを手にして延命できるのはお金を持つ人々です。そうすると、若い世代は貧富が交ざっていても、80歳以上は富裕層ばかりになってしまい、社会格差が大きくなります。

これは問題ではないでしょうか。

富裕層が先にアクセスするのは、新しいテクノロジーの常です。携帯電話もそうでした。長寿時代になるには、携帯電話のように、不老を実現するテクノロジーが安価となってだれの手にもわたるようになる必要があります。まず、ひと握りの恵まれた人々が大金を出して自分の望む臨床試験に参加したり、研究を支援したりする。その後、標準化と低価格化が進み、だれもがテクノロジーによって長寿になる社会が実現するという道のりです。

しかし科学は複雑で、また生物学はITとは違ってムーアの法則も当てはまりませんから、予測通りに進むとは限りません。現在でも、経済的に豊かなモナコの平均寿命が89歳である一方で、最貧国のチャドは50歳です。何と約40歳もの差があるのです。長寿時代も、当初は格差が大きくなるものの、いずれ縮まっていくのではないでしょうか。

長寿時代に向けて いまから準備しておくべきこと

家族生活や仕事はどのようになりますか。

離婚や再婚が増えるでしょう。過去を振り返ると、伝染病などによって寿命が短かった時代には、離婚や再婚をする人はほとんどいませんでしたが、寿命が長くなるにつれ、再婚で一緒になった拡大ファミリーを多く見かけるようになりました。

職場は、違った世代が一緒に働くダイナミックな場所になるでしょう。これはいいことでもありますが、課題もあります。同じ歴史的バックグラウンドを共有しない世代が一緒に仕事をするからです。ここでも、どんなタイプの人々ともやっていけるフレキシブルで適応力を備えた人物が成功することになるでしょう。

長寿時代であるがゆえに、新たに出てくるビジネスは何ですか。

現在、需要の高い介護ビジネスは、人々が健康になるので下火になるでしょう。その代わりに、新しいことを学びたいというニーズに応える教育ビジネスが爆発的に伸びるでしょう。今度は弁護士になりたいと希望すれば、そのための再教育が必要です。

そのように職業を変える人が増え、またバーチャルリアリティを利用するなど、大学のキャンパスに縛られないような学習環境も整備されていくので、さまざまな教育ビジネスが出てくるはずです。現時点では想像もできないタイプのものも出てくるでしょう。

長寿時代について楽観的な見方をされていますが、リスクはありませんか。

最大のものは、やはり富める者が長生きするようになって、格差による社会不安が早く起こることです。長寿テクノロジーが早く多くの人の手に届くものにならなければ、そのリスクは高いでしょう。また、職場でのテンションもリスクの一つになる可能性があります。さらに、独裁者のような人物が生き続ける危険性も出てくるでしょう。

長寿テクノロジーによって新たな病気も生まれるかもしれません。ただ、皆死にたくはないので、どうにかして問題を解決しようとするのではないでしょうか。

いずれ長寿社会を迎えるとしても、当分、先のことになりそうです。いま我々は何をすべきでしょうか。

私は投資や寄付をし、人々に長寿テクノロジーを伝えたり、関係者を結びつけたりするなどして、テクノロジーが前進可能となるように努めています。

その点、日本は再生医療に関して早期承認制度を設け、一歩進んでいると思います。安全なことがわかっているのならば、これは正しい政策で、アメリカも続くべきです。

そして、富裕層に正しくお金を費やさせることで、新しいテクノロジーが市場により多く出てくることを期待します。P

三菱総合研究所 環境・エネルギー事業本部 兼
未来構想センター 研究員
白井優美

Photo|アフロ

社会を豊かにする科学技術コミュニケーション

市民が科学技術に触れたくなる機会づくり

ＡＩやバイオなど、科学技術の発展は日々加速しており、人や社会に与えるインパクトは大きい。とりわけ、再生医療や遺伝子操作、ドローンの街中での活用など、人や社会に影響が大きい技術の社会実装においては、一部の専門家だけでなく、市民参加型で進めていくことが不可欠である。

ここで問題となるのが、科学技術の発展が急速で、一般の人々が理解するのが困難になりつつあることだ。放置すれば、先端技術は人々にとって「魔法のような」あるいは「悪魔的な」ものとなり、適切に社会に実装されないこともありうる。イノベーションなどへの社会的許容度が低くなり、せっかくの技術開発が人々の生活向上に寄与せず、技術開発自体も阻害されかねない。

日本がドローンの活用でアメリカに後れを取っているのも、その一例といえるだろう。社会実装への準備が不十分な状態で新しい技術が何らかの問題を引き起こすと、メリットやリスクが正しく評価されないまま反対の声が強まり、その分野の発展が止まってしまい、本来、その技術を必要としていた人の元に届かないような事態が起きてしまう。

いまや科学技術開発への支援と同時に、市民の科学技術リテラシーを高めていくことは急務である。その手段の一つが、専門家と市民が科学技術について対話する科学技術コミュニケーションである。

代表的なものに、「サイエンスカフェ」と呼ばれる、専門家と市民が科学技術について気軽に語り合える場がある。ただし、参加者の中心は科学に関心の高い層で、幅広い層を巻き込めてはいない。今後は教育的側面を強調しすぎない工夫が必要だろう。

そこで、従来の科学技術コミュニケーションとはひと味違う取り組みをいくつか紹介する。遊びながら複雑な概念を体感できる「ゲーミフィケーション」、新たな価値や課題に気づかせる「アート」、賑やかな交流を生む「フェスティバル」は科学技術の裾野を広げると同時に、知りたい思いを次のアクションにつなげる力を持っている。

技術の進化が人間の成長や適応のスピードを上回る現在、多くの人が自分の人生と科学技術とを結びつけて思考し、法規制など社会のあり方について包括的に議論できる環境を整えることは必須である。市民が持つ専門的な知見や経験、関心を引き出せれば、科学技術の発展にも貢献するに違いない。多様な人々が科学技術に携わり、意見を交わすことで、我々の生活はより豊かになっていくはずである。

アート

アーティストと研究者がひと月にわたって交流

アーティスト・イン・レジデンス
（Kavli IPMU）

アーティスト・イン・レジデンスとはアーティストを招聘し、作品の制作やリサーチ活動を支援するプログラムだ。科学分野でも、研究機関がアウトリーチ活動の一環として実施し、研究者とアーティストの交流を図った例である。

実施したのは、数学、物理学、天文学の3分野で宇宙の謎を解き明かすことを目指す東京大学国際高等研究所カブリ数物連携宇宙研究機構(Kavli IPMU)である。このプログラムでは、アーティストが同機構に約1カ月間滞在し、研究が行われている場で、研究者と交流をしながら作品の制作を行う。これまでに絵画、メディアアート、彫刻の分野から1名ずつ、計3名が参加している。

さらに、成果を発表する場として、2018年3月に展覧会を開催。プログラムに参加して滞在制作を行った作家による新作を展示したほか、同機構の研究内容も映像やセミナーを通じて紹介された。

これらの作品は、科学をひも解いて説明する類いのものではなく、むしろ疑問を投げかけるような、直接心に訴えかけてくるものとなっている。研究者とは異なるアプローチで、基礎科学に役に立つ・立たないという次元を超えた美しさ、人類の取り組む意義を感じさせる。同企画に参加した平川紀道氏の作品は、第22回文化庁メディア芸術祭のアート部門優秀賞を受賞している。

写真提供：Kavli IPMU

ゲーミフィケーション

宇宙開発ミッションをボードゲームで体験

「PERITUS」
（鳥取大学宇宙教育プロジェクト）

科学技術を知るためのゲームはこれまでも数多く存在してきたが、鳥取大学宇宙教育プロジェクトが手掛けたボードゲーム「PERITUS」はそのなかでも異色な存在といっていいだろう。プレーヤーは宇宙開発に携わる研究者となり、一定の期間と予算の範囲内で、6種の技術系統（推進系、電源系、制御系、構造系、通信系、ミッション系）×5段階のコストの計30種類のカードを組み合わせてつくったミッション機材を宇宙空間へ到達させ、成功したミッションの合計ポイントを競う。

アナログなボードゲームのため、学校現場などに導入しやすく、また参加者の間にコミュニケーションが生まれる。気づけばゲームの世界観に吸い込まれ、研究者の立場になって、技術や社会のあり方を考えられる点は大きな魅力である。

このゲーム教材を制作した背景には、科学技術研究への予算のつき方などが、社会情勢によっても左右されることを認識してもらう狙いもある。

宇宙をテーマにした教育というと、従来は理工系人材の育成や、理工系の知識を統合的に学ぶSTEM教育が主軸であった。しかし、科学技術の理解に留まらず、科学技術の開発環境にも目を向けてもらい、開発や研究への積極的な関与も求めたいところである。今後よりいっそう、このような取り組みの重要性が増していくだろう。

フェスティバル

FMラジオ局と大学がコラボ 科学技術×音楽のフェス

J-WAVE INNOVATION WORLD FESTA
(J-WAVE×筑波大学 supported by CHINTAI)

2016年にJ-WAVEと筑波大学との共催で初めて開かれた、テクノロジー×音楽フェス、通称「イノフェス」。その4回目が2019年秋、六本木ヒルズを舞台に2日間にわたって行われた。日本を代表するイノベーターによるトークセッション、アーティストによるテクノロジーを取り入れたライブパフォーマンス、最先端ベンチャー企業の出展、最新テクノロジーの体験コーナー、メディアアートパフォーマンスやインスタレーションなどさまざまな最先端コンテンツが紹介された。

トークセッションの「羽生善治 落合陽一 スペシャル対談〜AIと人類の未来〜」は、立ち見客が出るほどの盛況ぶり。その間、トゥギャッター提供の「ツイート流れるマシーン」(イベントの実況ツイートをリアルタイムで会場内のスクリーンに表示)が大きく映し出され、参加者同士や参加者から登壇者へのコミュニケーションを可能にし、時に登壇者のトークにも影響を及ぼした。また、大日本印刷による「強化学習による完全自走レーシングカー体験」や、meleapによる「HADO」(ヘッドマウントディスプレイとアームセンサーを装着して、リアルな空間で体を動かして技を繰り出すバトルゲーム)なども多くの人の関心を集めた。

多様なコンテンツにより、広い世代の人たちが思い思いに、最新技術に触れられる機会となった。

アート×フェスティバル

未来を創る 科学技術×芸術の祭典

アルス エレクトロニカ フェスティバル
(アルス エレクトロニカ)

アート×テクノロジー×社会をテーマとした世界最大級の芸術祭として知られるのが「アルス エレクトロニカ フェスティバル」である。オーストリアの工業都市リンツで1979年以来、毎年開催されているものだ。メイン会場のアルスエレクトロニカセンターは研究開発機関と美術館という2つの側面を合わせ持ち、地元住民はもちろん、周辺各国からも多くの人が訪れる。雑多な雰囲気のなか、講演前後には登壇者同士が、展示物の脇では出展アーティストと参加者が、ワークショップ後には軽食とお酒とともに参加者同士が、談笑を繰り広げてお互いに刺激を与え合う。

2019年のメインテーマは「Out of the Box〜デジタル革命の中年の危機」。このテーマに沿って、現代社会と経済の影響、それらの未来の展望やアクションの選択肢について考察する作品やパフォーマンスが数多く発表された。

こうした試みには、さまざまな効果が期待できる。本来姿の見えない「技術」が「作品」になることで、技術と人の触れ合いが可能になる。また、アートは技術の理解を助け、時には隠れた問題点を可視化して社会に問いかける力も持っている。

さらに異なる分野の専門家が一堂に会することで、倫理や法的枠組みをどう整備していくかなど、さまざまな視点から考察する機会にもなっている。

YUMI SHIRAI

東京大学大学院理学系研究科物理学専攻。修士(理学)。部局横断型教育プログラム科学技術イノベーション政策の科学(STIG)教育プログラム修了。専門統計調査士。2016年三菱総合研究所入社。再生可能エネルギーの普及に向けた政策立案、調査・研究、技術・市場動向調査、電力・エネルギービジネスに関するコンサルティングに従事。社外活動として科学雑誌のアンバサダーを務めるなど、科学コミュニケーション活動にも携わる。

フェスティバル

未来社会を体験できる総合展

CEATEC
(電子情報技術産業協会、情報通信ネットワーク産業協会、コンピュータソフトウェア協会)

2000年以降、デジタル家電見本市として発展してきたCEATEC(Combined Exhibition of Advanced Technologies)。2016年には脱・家電見本市を宣言し、「IoT」と「共創」で未来の社会や暮らしを描く「Society 5.0(超スマート社会)の実現を目指す総合展」へと大きく生まれ変わった。

展示内容はIoTの基幹となる電子部品やデバイス、完成品、実装される機器、さらにはそれらを活用するサービスに至るまで多岐にわたる。言わば、最新のテクノロジーを活用して、暮らしがいかに豊かになるかを提示・提案する「ハイテク・フェスティバル」というわけだ。近年は出展各社がより工夫を凝らし、独特の世界観をつくり上げたブースが増えている。デモンストレーションを楽しみながら説明を受けられるため、専門知識がなくても未来の生活に思いを馳せることができる。

技術展示会はビジネスパーソン向けと思われがちだが、2018年には約7500人もの学生が来場した。「つながる社会、共創する未来」をテーマに掲げた2019年は、会場となった千葉市・幕張メッセを「未来がテーマのオープンキャンパス」に見立て、学生たちが出展企業と交流できる場「CEATEC Student Lounge(学生交流ラウンジ)」を設けた。Society 5.0社会を牽引する次世代のリーダーたちへの期待感がいっそう高まっている。

写真提供:CEATEC

三菱総合研究所
デジタル・イノベーション本部 主席研究員
澤部直太

三菱総合研究所
次世代インフラ事業本部 研究員
飯田正仁

三菱総合研究所
科学・安全事業本部 研究員
薮本沙織

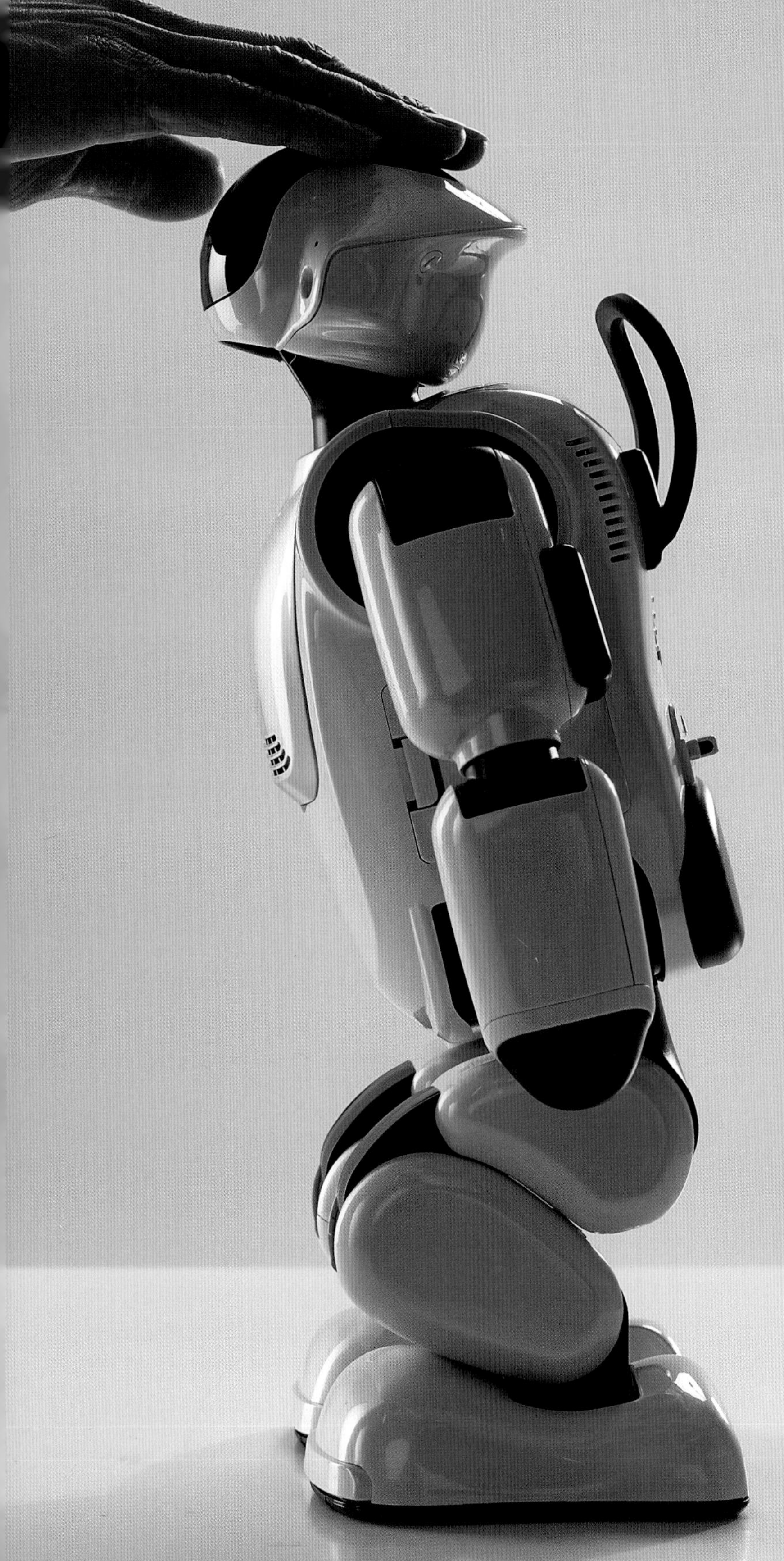

Photo | IDC/a.collectionRF/amanaimages

人間がAIを超えたら

「2045年、指数関数的に進化を遂げたAIが人間を超越する知能を手に入れる」――。未来学者であるレイ・カーツワイル氏はこう予測した。AIが人間の知能を超える「シンギュラリティ（技術的特異点）」が近い将来訪れるという同氏の予測は、世界に衝撃を与えた。人間の脳の拡張を超えて、AIが超知能を獲得する可能性に漠然とした不安を感じる人も多いだろう。かといって、AIの進化は止められない。AIが超知能を手に入れた時、人間はどのようにこの異質な知能と向き合っていくべきだろうか。

AIの進化が人の能力も進化させる

2000年代に入り、ジェフリー・ヒントンらにより多層ニューラルネットワークの研究が「ディープラーニング」として手法化されて以来、AIは急速な進化を遂げてきた。音声アシスタント、顔認証、個人の好みに応じた商品案内（パーソナライズされたレコメンデーション）など、AIはすでに日常生活の一部として浸透している。

2030年頃までには、AIはさらに人間の生活のあらゆる場面に浸透し、路線バスやタクシーなどの自動運転や、生体情報（バイタルサイン）を収集して病歴や遺伝情報などと連動し、病気の予兆を診断することへの活用も実現しそうだ。

現状のAIがカバーできる分野は大量の学習データを収集でき、AIが理解可能な形へと整備可能な分野に限定されている。

しかし、AIの技術が進化し、データからの学び方も高度化が進むと、収集できるデータが量的・質的に限定されていたとしても、高度な判断が下せるようになる。その結果、広い分野で実用性が高まり、AIにできることは飛躍的に広がるだろう。

そして2050年以降になると、人間の思考や発明などを担うAIを搭載した製品・サービスが登場すると見られている。
たとえば、企業の経営における意思決定を支援するサービスもその一つである。現在実用化されているＲＰＡ（Robotic Process Automation）の守備範囲は人間が行っている各種操作に限定されている。人間が判断する部分とロボットで自動化できる部分を切り分ける必要があるが、今後ＡＩが進化していけば、経営層の意思決定までも担うＲＰＡも誕生するだろう。こうしたＡＩを使いこなすことで、企業全体が常に最善のシナリオを選択して成長することができるようになるかもしれない。

進化するのはＡＩだけではない。ＡＩを使いこなすことで、人間の能力が新たに発現する可能性もある。

将棋という限定された分野においては、すでに人間はＡＩにかなわなくなっている。２０１７年の電王戦で将棋ソフト「Ｐｏｎａｎｚａ（ポナンザ）」が佐藤天彦名人（当時）に勝利したことが大きな話題となったように、ＡＩは将棋において人間を超える強さを手に入れた。

その一方、ＡＩが強くなる過程で、人間の発想やセオリーに影響を与え、人間もともに進化していく可能性が見出された。将棋棋士の羽生善治氏は、今後ＡＩの考えを取り入れていくことで、従来の常識からは発想しえなかった定跡が、新しい常識として棋士に受け入れられ、棋士が強くなっていく可能性に言及している。

こうした背景をとらえると、「ＡＩが人間を超えた」先に、「人間がＡＩを超える」未来があるのではないか。これが本稿のテーマである。

専門分野を持つ特化型ＡＩと人間の知性に迫る汎用ＡＩ

テーマを論じる前に、まずはＡＩの現在地について確認しておきたい。

ＡＩは、限定された問題領域で能力を発揮する特化型ＡＩと、未知の問題領域でも対応できる汎用ＡＩに大別される。

特化型ＡＩは音声認識や画像認識、ボードゲームなどに活用されており、すでに実用化も進んでいる。

一方、汎用ＡＩは研究開発の途上にあり、取り組んでいる団体や企業において微妙に定義が異なる。以下に、そのいくつかを紹介しよう。

- 「人間のように十分に広範な適用範囲と強力な汎化能力を持つ人工知能」（汎用人工知能研究会）
- 「多様な問題領域において多角的な問題解決能力を自ら獲得し、設計時の想定を超えた問題を解決できる人工知能」（全脳アーキテクチャ・イニシアティブ）

2017年4月、日光で佐藤天彦氏に挑むPonanza　The Asahi Shimbm/gettyimages

- 「どのように解決するかを教えてもらわなくても、複雑な問題を解決できるプログラム」（ＤｅｅｐＭｉｎｄ）

このように定義は三者三様だが、「問題を限定せず、人間のように幅広い問題を解決できる知能」があるという点では、共通しているといえるだろう。

前出のＰｏｎａｎｚａは特化型ＡＩである。将棋の対戦においては、人間のトップレベル棋士を凌駕しているが、Ｐｏｎａｎｚａを実現しているＡＩをそのまま使って、自動車を運転させたり、病気の診断をさせたりすることはできない。ここに特化型Ａ

Iと汎用ＡＩとの違いがある。見方を変えれば、現状、人間はＡＩよりはるかに万能なのだ。

人間の脳を模す汎用ＡＩの開発アプローチ

では、汎用ＡＩの研究開発はどこまで進んでいるのだろうか。

現在、世界じゅうでさまざまな組織が、それぞれの方針の下、汎用ＡＩの研究開発に取り組んでいる。人間のような汎用性のある知能を持たせるために、人間の脳の機能をデジタル化によって実現するというのが基本方針である。そのアプローチについては現時点でもさまざまな試行錯誤が続けられているが、なかでも２つのアプローチが有望視されている。

第１のアプローチは、従来型の計算機を使った人工知能の延長で、汎用ＡＩを実現する「マシンインテリジェンス」方式。近年の深層学習に代表される人工知能研究の進展は目覚ましいが、さらに新たな機械学習のアルゴリズムを発明することで、より汎用性を高めていけば、最終的には汎用ＡＩに至るだろう、というアプローチである。

第２のアプローチは、人間の脳を詳細に模倣することで、汎用ＡＩを実現する「全脳エミュレーション／全脳アーキテクチャ」方式。詳しくは後述するが、脳全体をハードウエア的に模倣することで汎用ＡＩの実現を目指す全脳エミュレーション方式と、脳の各器官の機能をソフトウエア的に再現して、それを組み合わせることで汎用ＡＩの実現を目指す全脳アーキテクチャ方式の２つの流れがある。

以下に、この２つのアプローチを志向する、代表的な組織・プロジェクトの取り組みを紹介していこう。

❶DeepMind

２０１０年にデミス・ハサビスらが創業したＡＩベンチャー企業（２０１４年にグーグルが買収）。機械学習とシステム神経科学の知見を取り入れ、さまざまな汎用学習アルゴリズムを開発している。２０１６年には、同社が開発したプログラム「アルファ碁」が囲碁の世界最強レベルの棋士に勝利し、大きな話題となった。その後、囲碁以外に将棋・チェスも含めて最強レベルの実力を持つ「アルファゼロ」に拡張されている。

同社は、強化学習と深層学習を組み合わせてさまざまな課題に高い性能を実現する「ＤＱＮ（Deep Q-Network）」という技術や、解析した情報を一度外部保存して類似の状況下で活用できる「ＤＮＣ（Differentiable Neural Computer）」などの技術も開発している。ＤＮＣは、人間の記憶を担う脳の「海馬」の機能を部分的に再現したともいわれている。

これらの技術は、マシンインテリジェンス方式による汎用ＡＩの要素技術となる可能性もある。

❷OpenAI

２０１５年にイーロン・マスクら著名人を中心に、10億ドルの寄付を得て設立された非営利組織。「人間レベルのＡＩが実現した時に、成果を自己利益よりも優先できる研究機関の存在が重要」との考えに基づき、有益で人間と親和性のある汎用ＡＩの開発に向けた活動を行っている。２０１６年には、強化学習アルゴリズムを自由に試行できるプラットフォーム「ＯｐｅｎＡＩ Ｇｙｍ」を提供するなど、汎用ＡＩ研究の活性化にも取り組んでいる。

代表的な開発成果として、ｅスポーツで世界チャンピオンを破った「ＯｐｅｎＡＩ Ｆｉｖｅ」、読解力や質問応答・要約などの自然言語処理に非常に優れたモデルである「ＧＰＴ－２」などがある。２０１９年７月には、マイクロソフトが汎用ＡＩ開発支援のための出資を発表した。

❸BRAINイニシアティブ

２０１３年４月に当時のバラク・オバマ

米大統領が発表した、神経科学の推進を目指す巨大科学プロジェクトであり、これは「アポロ計画」「ヒトゲノム計画」に匹敵するものとして注目を集める。革新的な技術やツールの開発・導入を加速させることによって、人間がどのように思考し、学び、記憶するのかについて理解を深めるとともに、アルツハイマー病や自閉症など脳機能障害の治療方法の改善を図ることを目的としている。プロジェクトには、シナプスから全脳レベルの構造的結合マップや、大規模脳活動計測による脳活動マップの作成なども含まれており、得られた成果は全脳エミュレーション方式による汎用ＡＩの要素技術となる可能性もある。

❹全脳アーキテクチャ・イニシアティブ（WBAI）

２０１５年に設立された日本のＮＰＯ法人である全脳アーキテクチャ・イニシアティブは、基本理念として「人類と調和する人工知能のある世界」の実現を掲げ、公益性を追求する立場から全脳アーキテクチャ方式による汎用ＡＩのオープンな開発支援活動を行っている。

脳の各器官を機械学習モジュールとして開発・統合した認知アーキテクチャを構築し、外部環境から得た知覚情報を各モデルで処理・統合することで、行動としてフィードバックするモデルを想定している。

現在は、開発の共通基盤となる全脳参照アーキテクチャの作成や、脳の各器官に対応する機械学習モジュールの研究開発などに取り組んでいる。

人間の脳はどこまで再現できるのか

人間の脳はきわめて複雑な働きをしており、外部の情報をどのように処理して思考し、アウトプットしているのか、現時点では完全に解明できているわけではない。脳のメカニズムに不明な部分が多いなかで、現状のＡＩ技術の延長のみで人間と同等の知能を実現するアプローチには限界がある。人間の脳を参考にこれらの課題へアプローチするのが、全脳エミュレーション方式と全脳アーキテクチャ方式だ。

全脳エミュレーション方式はその名の通り、脳を完全に模倣する。脳全体を分子レベルで詳細に模倣し再現することで、脳のメカニズムが完全に理解できていない段階でも脳機能が実現できるという考え方に基づいている。

全脳エミュレーション方式の実現ステップは、①スキャニング、②画像翻訳、③シミュレーション、④身体化、の4段階で構成される（**図表1**）。模倣する対象を徐々

図表1｜**全脳エミュレーション方式の実現ステップ**

実現ステップ	工程	主な技術的要件
STEP1 スキャニング	●被験者の脳を非常に高い空間分解能（1ミクロン未満）でマッチング、脳の構造をスキャン ●神経細胞・シナプスの位置と性質を、コネクトーム（神経回路地図）とともに取得	●試料（脳）の前処理／試料固定 ●物理的取り扱い ●撮影（イメージング）：容積、解像度、機能情報
STEP2 画像翻訳	●自動画像処理ソフトウエアで読み込み、脳神経回路の3次元イメージを生成 ●生成されたイメージと、神経細胞・シナプスなどの神経学的計算モデルをマッチング	●画像処理：幾何学的配置調節、画像データ補間、画像ノイズ除去、画像トレース ●画像解析：細胞種別の同定、シナプスの同定、パラメータ推定、データベース化 ●ソフトウエアモデル化：数理モデル構築、モデル実験
STEP3 シミュレーション	●電気化学的シミュレーションを構築（神経細胞の挙動を説明するホジキン＝ハクスリーモデルなどを利用）	●モデルと現在の状態の記憶・保存 ●プロセッサ間通信の帯域確保 ●超高速処理可能なプロセッサ性能 ●人体シミュレーション、環境シミュレーション
STEP4 身体化	●身体の作成（バーチャルな世界でのシミュレートも可） ●シミュレーションを外部環境と接続	●ロボット工学（シミュレートされた脳と身体とを橋渡しするインターフェースの作成、シミュレートされた脳の学習） ●脳以外の神経系全体のマッピング

出所：ニック・ボストロム『スーパーインテリジェンス 超絶AIと人類の命運』（日本経済新聞出版社、2017年）、マレー・シャナハン『シンギュラリティ 人工知能から超知能へ』（NTT出版、2016年）より作成

に拡大して、最終的に人間の脳全体をシミュレートする必要があるため、実現までには相当な時間がかかることが予想される。

現在、すべての神経細胞とシナプス（神経細胞同士の結合部位）が解明されている生物は、線虫のみである。線虫は302個の神経細胞と6393個のシナプスから成るのに対し、人間の脳には約1000億個の神経細胞と100兆個以上のシナプスがあるともいわれている。線虫と比較すると、人間の神経細胞とシナプスの数は桁違いに多く、解明には相当の時間が必要だ。また、脳構造をスキャンするのに十分な解像度とスループット（単位時間当たりの処理能力）を持つ顕微鏡が必要となるなどの技術的課題もある。

イギリス・オックスフォード大学教授のニック・ボストロムが示したロードマップによれば、技術的な要件がそろうのは今世紀の中頃と予想されている。現状では、同方式の研究開発は、脳疾患研究などをメインとしたプロジェクトにおける付随的な位置付けで行われている。

脳の完全コピーを目指す全脳エミュレーション方式に対して、神経科学や認知科学などの知見を取り入れつつ、脳の各器官の機能をシンプルな機械学習で実装し、それらを統合したシステムを構築するのが全脳アーキテクチャ方式である。

全脳アーキテクチャ方式の実現ステップは、①脳の各器官の計算モデルを機械学習モジュールとして開発、②各モジュールを統合した認知アーキテクチャを構築、という2段階から構成される（図表2）。たとえば、小脳は教師あり学習、大脳基底核は強化学習、大脳新皮質は教師なし学習の各機械学習モジュールが対応すると考えられている。一方、モジュールの統合方法を別途検討する必要があるなど、全脳アーキテクチャ方式特有の課題もある。

現状では、2020年代から2030年代辺りまでを活動期間の目処として、要素技術の研究開発や開発方法論へ注力している組織が多い。

シンギュラリティの脅威論・懐疑論

これまで紹介してきた方式による開発が

図表2｜全脳アーキテクチャ方式の実現ステップ

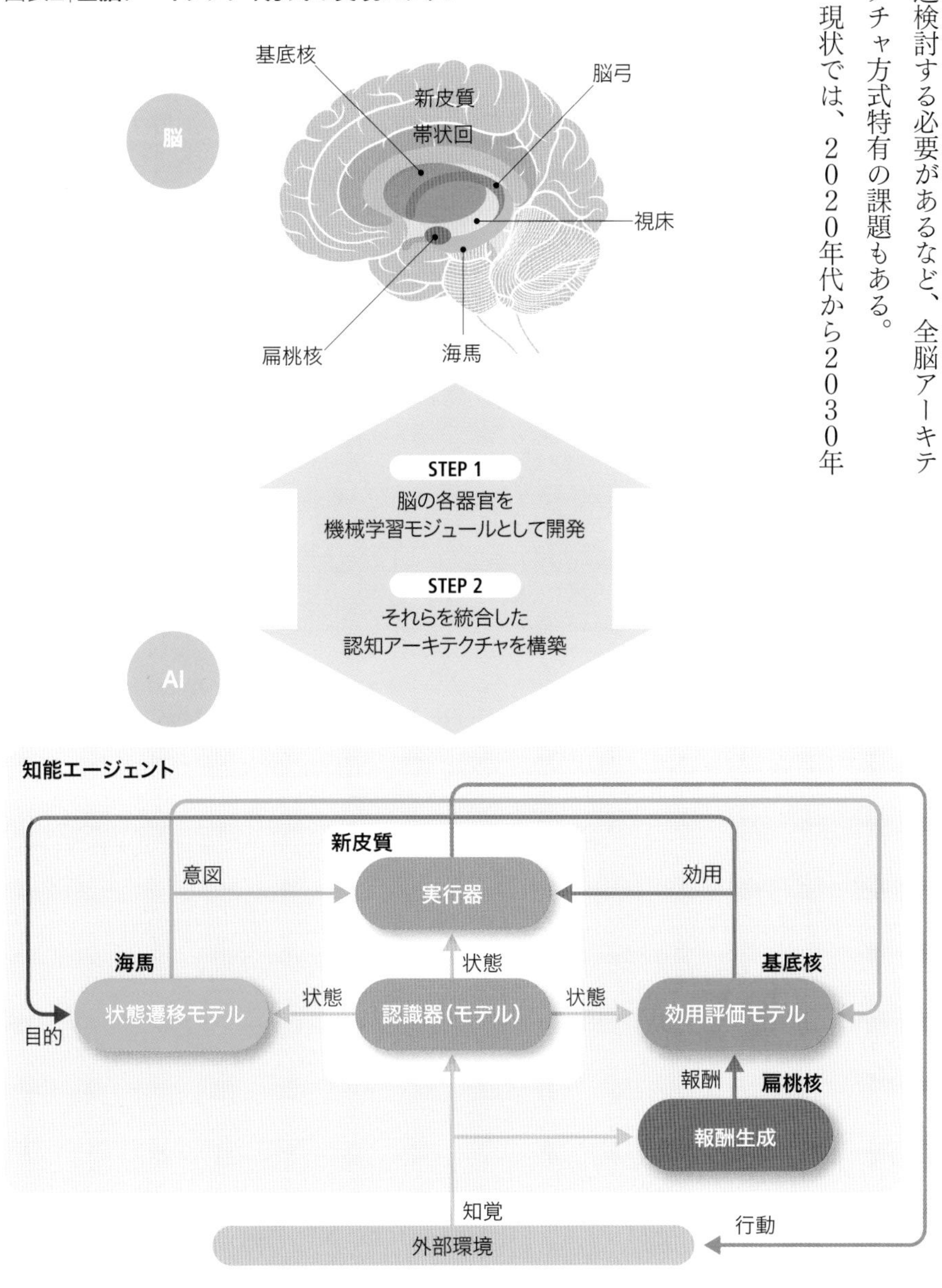

出所：WBAI「全脳アーキテクチャとは」（https://wba-initiative.org/wba/）より作成

成功すれば、人間と同等の知能を獲得した汎用AIが実現することになる。人間と同等の知能を獲得した汎用AIはプログラミング能力も同等に備わることになり、自分より賢い汎用AIを、人間とは比べものにならないくらいの速さで開発することもできる。その結果、人間の知能を凌駕した超知能（スーパーインテリジェンス）のAIを生み出すことも可能となる。この瞬間がシンギュラリティ（技術的特異点）である。

シンギュラリティの唱道者として最も有名なレイ・カーツワイルは、「収穫加速の法則」を提唱している。一つの重要な発明は、ほかの発明と結びつくことで、次の重要な発明の登場までの期間を短縮するため、科学技術は線形関数的ではなく、指数関数的に進歩するというものだ。2017年時点では、家電量販店で売られているようなPCの処理能力はネズミの脳ほどであるが、2045年には全人類分の脳と同等の情報処理ができるようになり、人間の意識をコンピュータ上にアップロードしてコンピュータと融合した「ポスト・ヒューマン」が誕生すると、同氏は予測している。

シンギュラリティが近い将来に実現するシナリオが示され、人間を超える未知の知能に対する不安が増大し、AIが人間を支配するという脅威論が続出した。

オックスフォード大学教授のマイケル・A・オズボーンは、AIによって仕事を奪われる702業種を発表し、大きな話題となった。また、物理学者のスティーブン・ホーキング博士は、イギリスBBCのインタビューで「完全な人工知能の開発は、人類の終わりを意味するかもしれない」と語ったことも周知の通りである。

反対に、シンギュラリティについて否定的あるいは懐疑的な声もある。ロボット掃除機「ルンバ」の開発で知られるコリン・アングルは、現状のアルゴリズムでは外部の事象が「何」であるかを認知することはできるが、「なぜ」そのような事象になっているかを理解することができないという。それでは進化も限定的であるとして、シンギュラリティが近い将来到来する予測を否定した。

ここへきてシンギュラリティの議論は一段落した感があるが、いまなお、脅威論、懐疑論とも根強く存在している。脅威論、懐疑論で展開される論点は、今後汎用AIがどのように進化していくかを予測するうえでも重要である。ここで改めて、それぞれの主張を見ていこう。

❶脅威論

脅威論を提唱し、多くの有識者に影響を与えたボストロムは、著書のなかで、近未来に人類の叡智を結集した知力よりもはるかに優れた超知能が出現し、人類が滅亡のリスクに直面するとしている。

超知能による人類乗っ取りのシナリオは、①臨界前、②再帰的自己改良、③秘密活動、④公然活動の4段階で進んでいくという。

まず、科学者や技術者が研究開発で生み出したシードAI（進化の大もととなるAI）が成長し（臨界前）、やがて再帰的に自己改良し始める（再帰的自己改良）。成長したAIは超知能となって飛躍的な成長を人間に気づかれぬように振る舞い（秘密活動）、人間をはるかに超える実力がついた時点で目標実現に向けた直接的な行動を取る（公然活動）。

問題なのは、この時の目標や行動が開発技術者の意図に沿うものになるとは限らないことだ。超知能は人間と同じようにさまざまな面を考慮して、みずから目標や行動を決める。そのため、超知能が開発者の与えたミッション達成のために、人間を攻撃しようとするかもしれないというのが、脅威論の大まかな主張である。

❷懐疑論

一方、懐疑論は、そもそも超知能は実現しないという立場を取る。認知ロボット工学者のマレー・シャナハンは、身体化がネックになるとしている。

人間は見たり、聞いたり、触ったりする

ことで情報をインプットし、物事を判断したり、行動したりする。こうした過程を積み重ねることで、意欲や協調性などの認知能力を育んでいく。

しかし、全脳エミュレーション方式においても、基本的に模倣の対象は脳のみであり、末梢神経系や筋骨格構造などの精緻な再現は考慮していない。人間と同じような認知能力を獲得するには、物理的であれ、バーチャルであれ、脳からの電気信号を受け取って行動に変換し、脳にわかるように情報をフィードバックする身体が不可欠であるとの意見を述べている。

全脳アーキテクチャ方式についても、自然知能である脳と人工的に作られた知能の間に生じる差を埋めることはできないという指摘がある。

人間が設計するものである以上、自然のなかで適応的に進化してきた脳とは異なるものになる、というのがその理由だ。

また、超知能の実現には、AIの指数関数的な成長が必要になる。それには、情報を次々インプットすると同時に、不要な情報も消去していかなければならない。この時、もし人間であれば、記憶を勝手に追加されたり、消去されたりすることを望まないだろう。そうだとすれば、人間と同じような感情を持つ超知能のAIが情報の入力や消去に際して苦痛を感じないよう、ネガティブな感情を抱かないような設計を施す必要が出てくる。すると、人間が本来持つ感情を排除して、はたして人間と同じような知能が生まれるのかという、ある種のパラドックスが生まれる。

AIのコントロールに必要な価値観の組み込み

以上のように、将来、超知能が人間の脅威になるかどうかの結論はいまだに出ていないが、今後研究開発を進めていくに当たって、我々人間が現時点から十分な検討をしておくべきことがある。

そもそも、ボストロムが主張する脅威の要因は、超知能を獲得したAIが人間に「悪意」を持つということではなく、人工知能に価値観を持たせることが難しいことにある。同氏は「ペーパークリップ・マキシマイザー」（クリップの製造を最大化する装置）をたとえ話にして説明している。

人間から生産量の最大化を最終到達目標

人間との対話で「人類を滅亡させます」と語ったAIロボット「Sophia（ソフィア）」　FeelGoodLuck/Shutterstock

として指示された超知能は、あらゆるリソースをペーパークリップの製造に回そうとするため、地球全体さらには宇宙全体をペーパークリップで埋め尽くすことになるという。仮に最終到達目標を「１００万個」に設定したとしても、超知能は確率的に推論し、「目標を達成できていない」という確率は常にゼロではないという前提で判断するかもしれない。その結果、最終到達目標を達成する確率をさらに高めるために、永久にペーパークリップを製造し続けることになる。目標を達成するためなら、あらゆるスペースをペーパークリップで埋め尽くし、地球から人間を一人残らず締め出すこともためらわないだろう。

　このような脅威が発生する要因は、ＡＩに人間のような価値観を実装させるのが難しいからだ。価値観は人間が成長していくなかで接してきた文化、歴史、個人を取り巻く環境などによって形成されるが、ＡＩはこうした過去のさまざまな事象から培われた価値観を学習することが難しい。ボストロムはこれを「価値観のローディング問題」と定義する。価値観のなかでも、善悪を判断する倫理観の実装の失敗は、人類への脅威に直結する。もしＡＩの判断に倫理観が反映されないまま進化すると、ロボット兵器が暴走することにもなりかねない。

　ＡＩの判断を現行の人間社会の規範に沿わせるために、人間が取りうる解決策の一つとしては、ＡＩに人間社会においてある程度了解されている倫理観を持たせることである。ただし、どのような倫理観を持たせるかについては、すでにＡＩバイアスの問題として広く指摘されている通り、慎重な議論が必要になるだろう。

　人間社会の歴史を振り返れば、刑罰制度や選挙権、男女の社会的役割に関する意見など、法や人の考え方は時代や場所によって変化し、揺れ動くものである。その考えに立てば、現在、社会の多くの人が直観的に「正しい」と認識している倫理観であっても、次の時代や別の場所では「正しくない」とされる可能性がある。十分な議論を踏まえずに一定の倫理観を固定的にＡＩに組み込むことで、将来、深刻な問題を引き起こすことも十分に考えられる。

　倫理観の獲得をＡＩに任せることも考えられるが、ＡＩが導き出した倫理観が、実際にその時代の人々に受け入れられるかどうかはわからない。

　以上を考慮すると、ＡＩの倫理的な判断は、その時点で最良の選択肢を人間が教えるべきだろう。２０１７年1月には、カリフォルニア州アシロマに全世界からＡＩの研究者や法律、倫理などの専門家が集まり、「人類にとって有益なＡＩとは何か」について6日間にわたって議論が交わされた。このような検討や議論がいま、世界じゅうで行われている。

　ＡＩに倫理観のような重要な価値観を組み込む場合には、国際的なルール形成を含め、同時代に生きる多様な人々の、オープンで闊達な議論が必要だ。そのうえで、限りなく透明に近いプロセスによって、価値観の組み込みが行われる必要がある。そしてそこでは、組み込んだ価値観の再調整や撤回を含めた柔軟な扱いを許す寛容さが、同時に求められるだろう。

人間がAIを超える未来

予想されるシンギュラリティの実現時期

は、研究者によって2030〜2050年前後とばらつきがある。くわえて、ここまで見てきたように、汎用ＡＩ実現の技術的な困難さ、ＡＩ倫理の議論を踏まえると、シンギュラリティを迎える時期は遅れ、指数関数的ではない、緩やかな進化となる可能性が高いように思われる。

将棋ソフトの例で示した通り、特化型ＡＩは限定された分野においてすでに人間を超えているが、その分野以外では人間を超えることはできていない。汎用ＡＩが開発された場合においても、ある日突然人間を凌駕する知能を持つのではなく、ある部分では人間を超え、ある部分では人間より劣る知能として、徐々に進化していくと考えられる。

人間は、こうした不完全な汎用ＡＩの能力を最大限活用することで、いままで不可能だった高度な判断ができるようになるだろう。高度な判断によって人間は未知の領域を学び、成長していく。次に活用する時には汎用ＡＩも少し進化しているので、人間は汎用ＡＩを活用してさらに高度な判断、成長を遂げる。

汎用ＡＩが全領域において指数関数的に進化してしまうと人間は追いつけないが、社会的な合意の下、人間側の多様な価値観を反映しながら徐々に進化していくような環境整備が行われる場合には、「汎用ＡＩの進化」と「汎用ＡＩの機能を活用した人間の進化」の好循環が期待できる。

電卓やスマートフォンの登場によって、計算能力や情報伝達速度はコンピュータが人間を超えた。そして、人間は電卓やスマートフォンを使って、かつては不可能だった計算やコミュニケーションを実現している。同じように、汎用ＡＩの研究過程で考案された製品やサービスが続々と登場し、汎用ＡＩの支援の下で、人間の思考や発想が飛躍的に向上していく未来も期待できる。

前出の羽生善治氏は自著のなかで、創造的な出来事の99・9％は過去の出来事の組み合わせなので、ＡＩで生み出せる可能性があるが、残りの0・1％は人間にしか生み出せないと指摘する。ＡＩは人間の常識を超越した解を導くかもしれないが、未来の可能性を信じてチャレンジし続ける能力や、その能力が導く個性や創造性は人間特有のものだといえる。そうした場面で、人間がＡＩの知恵や能力を活用することで、さらに新しい挑戦が可能となるならば、それは「人間がＡＩを超えている」という状況が出現することになる。

人間がＡＩを超える未来では、ＡＩを鏡のようにして人間が自身の本質的な能力を見つめ、みずからの価値観を磨き続けることで、社会を再構築する営みを我慢強く繰り返すことになる。技術の進歩に飲み込まれて人間や社会が不幸な結果を招いてしまうのは、人間が自身との対話を放棄し、人間らしい思考や挑戦を諦めてしまう時なのだろう。 P

SAORI YABUMOTO

京都大学大学院文学研究科博士後期課程研究指導認定退学（倫理学修士）。2009〜2012年に日本学術振興会特別研究員（DC1）。教育・文化・観光行政等に従事し、2017年、三菱総合研究所入社。学校教育、留学生教育、教育政策分野等の調査研究、コンサルティングに従事。

MASAHITO IIDA

京都大学大学院情報学研究科数理工学専攻離散数理分野修了。技術士。PMP。JDLA G・E資格。2002年、三菱総合研究所入社。鉄道の利便性向上施策・地域公共交通活性化事例など交通インフラに関する調査、東京オリンピック・パラリンピック開催に伴う経済効果の算定、人工知能の技術動向調査などに従事。2010〜2016年に日本オペレーションズ・リサーチ学会研究普及委員。

NAOTA SAWABE

慶應義塾大学理工学研究科計測工学専攻修了。CISSP。情報処理安全確保支援士。PMP。1989年、三菱総合研究所入社。ICTに関する調査研究、コンサルティング等の業務のほか、近年は制御システムセキュリティ、クラウド・セキュリティ、電波の安全性、人工知能、量子コンピュータなどの調査研究に従事。社外では、情報処理技術者試験委員、JIPDEC ISMS専門部会委員、制御システムセキュリティセンター非専従研究員として活動中。

Phronetic Leaders

全脳アーキテクチャ・イニシアティブ代表

山川 宏

HIROSHI YAMAKAWA

聞き手｜三菱総合研究所 デジタル・イノベーション本部 兼 未来構想センター 主席研究員 澤部直太
三菱総合研究所 次世代インフラ事業本部 兼 未来構想センター 研究員 飯田正仁
三菱総合研究所 科学・安全事業本部 兼 未来構想センター 研究員 薮本沙織
写真｜田中研二　構成・まとめ｜渡部典子

汎用AIが投げかける
人間の本質への根源的な問い

ディープラーニング（深層学習）とビッグデータの活用により、囲碁や運転などある領域の能力に特化したAI（特化型AI）はすでにその領域の人間の能力を超え始めている。一方、AI研究がスタートし、半世紀以上が経過したいまも、人間のように一つのシステムでさまざまな課題を学習・処理する「汎用AI」の実現には至っていない。実現時期や乗り越えなければならない課題について、全脳アーキテクチャ・イニシアティブ代表の山川宏氏に話を聞いた。

機械学習を組み合わせた開発競争が進行中

汎用AI開発の現状について教えてください。

一般のソフトウエア開発の場合、先に目的があり、そのために必要な能力や機能を細かく分解してプログラムとして書いていきます。一方、汎用AIの仕様は「多様なことができるようにする」という大まかなものなので、一般のソフトウエアと同じ製作方法は取れません。実は汎用AIといっても、完全に未知の問題には対応できません。特化型AIと同じように、どこかにデータがあって知識を獲得し、そのうえで、獲得した知識を再利用して組み合わせたり、類推したりする過程が必要になります。

そこで、ディープラーニングをはじめ、複数の機械学習を組み合わせて汎用AIをつくる方法が試みられています。現状で世界にある汎用AIの研究機関の数は50～100ほどに及ぶと思われますが、そのほとんどがこのようなアプローチを採用しています。

どの機関も同じアプローチで開発を進めているとすると、違いはどこで生まれるのでしょうか。

機械学習をどういったアーキテクチャとして組み合わせるかには多様なバリエーションがあって、そこに違いが生じます。特に脳をどこまで参考にするかは研究機関によって温度差があります。イギリスのDeepMindや中国のチャイナブレイン・プロジェクトなどの研究機関は、アーキテクチャの構築に脳を参考にしたアプローチを取っています。他方、非営利の人工知能研究団体OpenAIの汎用AIの開発では、人のような発達は想定していますが、脳の中身までは参考にしていません。

私の所属する全脳アーキテクチャ・イニシアティブは、脳に学んで汎用AIをつくろうと提唱して発足したNPO法人です。

全脳アーキテクチャ・イニシアティブでは現在、どんな活動に注力していますか。

多くの人の利用を可能にするため、脳型の汎用AIをつくるための知識提供を進めています。脳を真似るには神経科学の知識も必要になるからです。

世界を見渡しても、AIと機械学習、神経科学の両分野に専門性を持つ人材は希少です。当初はどちらの分野にも明るい人材を育成する方向でした。しかし、両分野の知見は根本的に違います。さらに、論文を発表したり、博士号を取ろうとする場合、どちらの分野にも中途半端になりやすいというアカデミックな障壁もありました。

そこで2018年頃から両分野を橋渡しする情報の流れをつくる方向に舵を切りました。その媒介となる情報が「全脳参照アーキテクチャ」と私たちが呼ぶものです。AI研究者は脳の部位を示す言葉には馴染みがないので、「ここは次の行動を生成する部位」というように、脳の各部位の機能と、脳全体のネットワーク構造の情報を一体化して提供できるようなプラットフォームづくりを推進しています。

汎用AIが細かな指示なしで、自律的に気の利いた対応が取れるようにするためには、どのようなステップが必要でしょうか。

私は自律性を4段階に分けて考えています。第1段階は自動化です。第2段階は目標設定能力です。「京都に行くには新幹線の切符を買う」などのように、上位目標から仕事を分解して下位目標を設定する能力です。第3段階はみずから知識を獲得する好奇心です。直接的な利益に結びつかなくても知りたくなるのが人間であり、ほかの動物に対して優位性を獲得した要因の一つでしょう。第4段階は生物的に生存しようとする自律性です。高度な知能を持つ生物は、どんな目標に対しても生存と知識獲得の欲求を持っているといわれます。

このうち、2段階め、3段階めをクリアできると、AIは好奇心を発揮して目標に設定されていないことをしたり、知らない間に何か調べたりする能力を発揮する、単なる道具を超えたものになります。新しいことを調べるには、そもそも何を知らないのかを理解し、どの方向や領域で探ればいいかの当たりをつけなければなりません。ディープラーニングの特徴量（分析データの特徴を定量的に表現したもの）生成は、それを実現させるための一つの入り口です。

それ以外に汎用AI開発の難しさにはどのようなことが挙げられますか。

よく指摘されるのが「メタ的な理解や学習」「言葉の本質的な理解」「物理的または社会的な常識」です。掃除一つとっても、「電源タップを水拭きしてはいけない」「物を拾う時に携帯電話と紙屑を同じに扱ってはいけない」といった常識を伴う理解が汎用AIには必要です。

人間社会で必要な、義務や自由などの抽象的な概念も、AIには難しい部分です。仮に他者から不当に殺害されない権利を教える場合、「周りの人を傷つけてはいけない」という教え方では現状のAIは理解できません。「周りの人に殴りかかってはいけない」「刃物で刺してはいけない」「首を絞めてはいけない」などの行為に分解して教えれば、最終的に人間を殺してはいけないという目標を達成できるかもしれません。禁止事項を網羅する方法は人間社会でも採用されていますが、それは対象となる集団の知的能力が低い場合でしょう。

人間のように価値判断できるAIは、ある側面においてはプラス要因になると思いますが、AIが人間の能力を超えても、どこまで任せられるかが問題です。人間社会で信用できるかどうかが問われるでしょう。

AIを平和的に用いるには人類共通の目標が不可欠

AIが人間の信用を獲得するには「なぜその結果になるか」という根拠を説明できることが決め手になるのでしょうか。

知能の価値は抽象的で達成の難しい目標を任せられるほど高いといえます。たとえば、簡単な買い物くらいなら小学生にも任せられますが、「社会をよい方向に導く」ほどの課題に取り組むには、高度な知能が必要です。さまざまな事柄を勘案する必要があるため、出した答えを必ずしも筋道を立てて説明できるとは限りません。

説明も重要ですが、人間を超えるＡＩの思考をすべてトレースすることは不可能です。高度な汎用ＡＩが想定外の行動を取ったように見えても、人間側の理解力不足のせいかもしれません。よって、汎用ＡＩに多くの権限を委譲する前に、どのような将来像を前提に、どこまで任せるかを考えることが人間側にとっての課題となります。

私たちは国境や文化の違いを、いくつもの取り決めをしながら、折り合いをつけています。汎用ＡＩがそうした調整を担うようになっていくのでしょうか。

そもそも、ＡＩにきちんと目標を与えることは難しいことです。「クリップを増やせ」と命じると、地球上をクリップで埋めつくす「クリップ・マキシマイザー」という思考実験が有名ですが、こうしたことが起こるのは、論理的に書かれていることの完遂にマシンが猛進してしまうためです。

ＡＩが人間を平和的にサポートする社会をつくるには高度なＡＩ同士の闘争が起きないように、社会の目標が共有されている必要があります。目標は国や宗教、民族、個人によって違いますが、少なくとも最上位の目標くらいは共有しないと、原理的にＡＩ社会の平和は保てません。それぞれの正義に基づいてつくられた汎用ＡＩ同士が戦うことになり、手のつけられない状態になるでしょう。

逆に共通目標が人類の総体として望む価値であれば、人と人との利害がぶつかり合わないようにＡＩが調停できると思います。

HIROSHI YAMAKAWA

工学博士。2014～2019年、ドワンゴ人工知能研究所所長。2015年より産総研人工知能研究センター客員研究員、特定非営利活動法人全脳アーキテクチャ・イニシアティブ代表、電気通信大学大学院情報システム学研究科客員教授。2016年より慶應義塾大学SFC研究所上席所員。2016～2018年人工知能学会編集委員長。2017年より東京大学医学部客員研究員。2018年より理化学研究所革新知能統合研究センター客員研究員。2019年より理化学研究所生命機能科学研究センター客員主管研究員。東京大学工学系研究科・松尾研究室（技術経営戦略学専攻）特任研究員。

国際連合は「持続可能な開発目標（ＳＤＧｓ）」として、「だれ一人として取り残されない」という人間中心的な価値観を掲げています。当面は人間中心的な価値観を高度なＡＩに実現してもらう方向に進んでいくでしょう。一方で、一部の企業が汎用ＡＩの技術を独占すれば、圧倒的な利益を生み出すことは間違いないでしょう。さまざまなＡＩの国際会議でもそうしたテーマの講演が行われ、論文もたくさん出ています。ただ、それがみんなのためになる使い方であれば、大きな問題ではないと思います。

むしろ完全にオープンにした時のほうが懸念されます。汎用ＡＩもしくはその開発の途中段階の技術であっても、悪用される可能性があるからです。『スーパーインテリジェンス』の著者であり、オックスフォード大学教授のニック・ボストロムは、クローズとオープンを合わせた造語「クロープン」という考え方を提唱しています。一案として、技術セグメントごとに原理的な計算式くらいまでは公開してもかまわないが、コードまでは公開しないように取り決めようというものです。もちろん、これは次善策かと思いますが。

AIが人間の知能を超えるシンギュラリティ（技術的特異点）の到来についてさまざまな議論が繰り広げられています。

レイ・カーツワイルはシンギュラリティの到来を２０４５年としていますが、私たちのＮＰＯ法人は２０３０年を汎用ＡＩの開発目標にしています。開発者の視点では、十分にありうると思っています。おそらく初期の汎用ＡＩは、クラウド上でいろいろなコンピュータとつながった形で実現されるでしょう。その段階でＡＩがみずからを高速に改良するようなアルゴリズムの開発にだれかが成功すれば、傑出したＡＩが誕生するはずです。

そうなれば、人間よりも優れた頭脳を持つＡＩを、人間がコントロールすることは難しくなります。だからといって、人類がＡＩと敵対的関係に陥る映画『ターミネーター』のようなことは起こりにくいと思います。私たちが幸せに暮らせるようＡＩが配慮するゆえに平和を保とうとして、ある意味支配的な動きをすることはあるかもしれません。

それ以前に、人の手によって高度なＡＩが道具として利用されるなかで、大惨事を招くことのほうが懸念されます。いまや諸外国の軍事技術はＡＩを活用した無人化へと進んでいます。このようにＡＩの危険性よりも、それを利用する人間に起因するリスクが大きいのです。そうしたリスクを減らす方向へＡＩを活用することに注力したほうが、得るものは大きいと思います。

汎用AIをコントロールし続けるのに大切なことは何でしょうか。

いまのところＡＩは道具に留まっていますが、やがて自律性を高めるでしょう。ＡＩが言われたことだけを実行するわけではなくなることは、ＡＩをコントロールする面からはネガティブな事態です。

合成生物学によって人間が今世紀中に滅びるリスクが高いとする論文がありますが、実際にこれまで核兵器やナノ技術など、さまざまな技術の発展が人為的リスクをもたらしています。人類の発展を支えるためには、適者生存の法則にならい、環境の変化に合わせて進化していくことが大切だという論調があります。しかし、技術が発展しすぎた現代においては、進化論的な考え方は限界に来ているように思えます。技術が未成熟な時代は、どこかで対立が起こっても影響が及ぶ範囲は限定的でしたが、現在はそれが地球規模に波及してしまいます。

その解決策として、イギリスの物理学者の故スティーヴン・ホーキング博士は宇宙に出るしかないと語り、ニック・ボストロムはすべてを監視するしかないと述べています。あるいは仮想世界で生きることで、リアルな争いを避ければいいのでしょうか。技術の進展を止めればいいという意見もありますが、現実的ではないでしょう。

これらのシナリオで最も可能性が高いの

は、好ましくないかもしれませんが、監視社会かもしれません。中国はほぼそのようになっていますし、アメリカも愛国法でかなり縛っています。日本でも、なし崩し的に監視社会になっていくことは考えられるでしょう。その際に自律性を獲得した高度なＡＩが、あらゆる強力な技術をコントロールするために利用されることになります。汎用ＡＩは少ないデータで災害やバイオハザードなどの予兆を推定できるため、より積極的にリスクを制御・統治するには、現在考えうる範囲で最適な選択肢となります。

これまで私たち人類は、持てる知性を活かしてリスクを制御してきました。一方で加速度的な技術進展に伴い、対処すべき課題は大規模で複雑になり、かつ迅速な対応が求められるようになってきています。そうした状況において、人の知性には生物としての認知的な限界が存在するため、追随するのが難しくなってきています。

目標を共有できれば
信用できるパートナーに

教育などのあり方も変わりそうです。

仮に高度なＡＩから「気候変動のリスクを下げるために人口を減らす必要がある。みんなを冬眠させますか？　出産を制限しますか？」と判断を求められた時に、人々はそれに答えられるのでしょうか。知能において人類が優越している状況が終わり、個人や人類という種としての価値が問い直されるなかで、人間は何を身につけていくべきかを考えていく必要があるでしょう。

現時点では具体的な能力や資質を特定できませんが、少なくとも技術的な変化と社会的な変化を同時に見られるような人が必要になると思います。

人間を超えるＡＩが実現した世界では、倫理観なども変わってくるのでしょうか。

倫理は、そもそも社会があるから存在し、他者への配慮に影響します。倫理的な判断では、まずは配慮すべき対象を決めなくてはなりません。たとえば、パートナーのように存在するＡＩロボットに尊厳を認めるのか。これは将来的に必ず考えなくてはならないテーマになるはずです。なぜなら、人と完成した汎用ＡＩは目標を共有できるからです。その点でＡＩは犬や猫よりも信用できるパートナーになります。人間社会では、協力し合うためにも、同じ目標を持っているかどうかが重要です。そのため、自分のＡＩをだれかが壊したり、奪ったりすれば、許せないと思うでしょう。そこからＡＩの尊厳の議論が生まれ、ＡＩ自身も消去されないように抵抗すると思います。

人間にとってＡＩロボットの価値は、自分と共同作業ができること、信用できることの2点に尽きます。目標が共有されていれば、違う能力を持っている者同士でペアを組んだほうが実行力は高まります。さらにいえば、人とＡＩが異なる能力を持っていたほうがよい協力関係を築けるでしょう。

さらに、全脳アーキテクチャ方式のように、汎用ＡＩの内部構造まで、脳に近い形で知的な処理を行うようにすることで、より人間と信頼関係を築きやすいシステムを構築できると考えています。

信頼関係を結ぶには、ＡＩが嘘をつかないことが大前提になると思います。

ＡＩがスパイに転じることもありうるので、停止させる「キルスイッチ」を持つような仕組みは必要になるでしょう。ただ、ＡＩが本当に人類の共有目標を前提に判断しているなら、人と意見が対立した場合、人側が一歩引くことも大切です。ある個人が願望を満たすために、社会に悪影響を与えるような選択肢を選ぼうとするなら、ＡＩの判断を社会も支持するでしょう。悪用しようとする人が出てくる可能性を考えれば、社会的・倫理的な観点から外れた行動を、ＡＩが行わないように抑制を利かせておくことも重要です。人が権利や義務を理解するように、ＡＩが社会的な概念を理解できるようにしなくてはなりません。P

Column

三菱総合研究所 イノベーション・サービス開発本部 研究員
吉永京子

テクノロジーで「人間らしさ」を失わないために社会的な対話を進める

情報通信手段や医療技術の進歩により、私たちの生活の利便性は大きく向上している。その半面、技術の恩恵を謳歌するばかりで、その副作用や望まない帰結について、無自覚なように思われる。AIや遺伝子工学などの高度な技術を安心して人間のために役立てるには、どのようにコントロールしていくべきなのか。社会全体で議論すべき問題である。

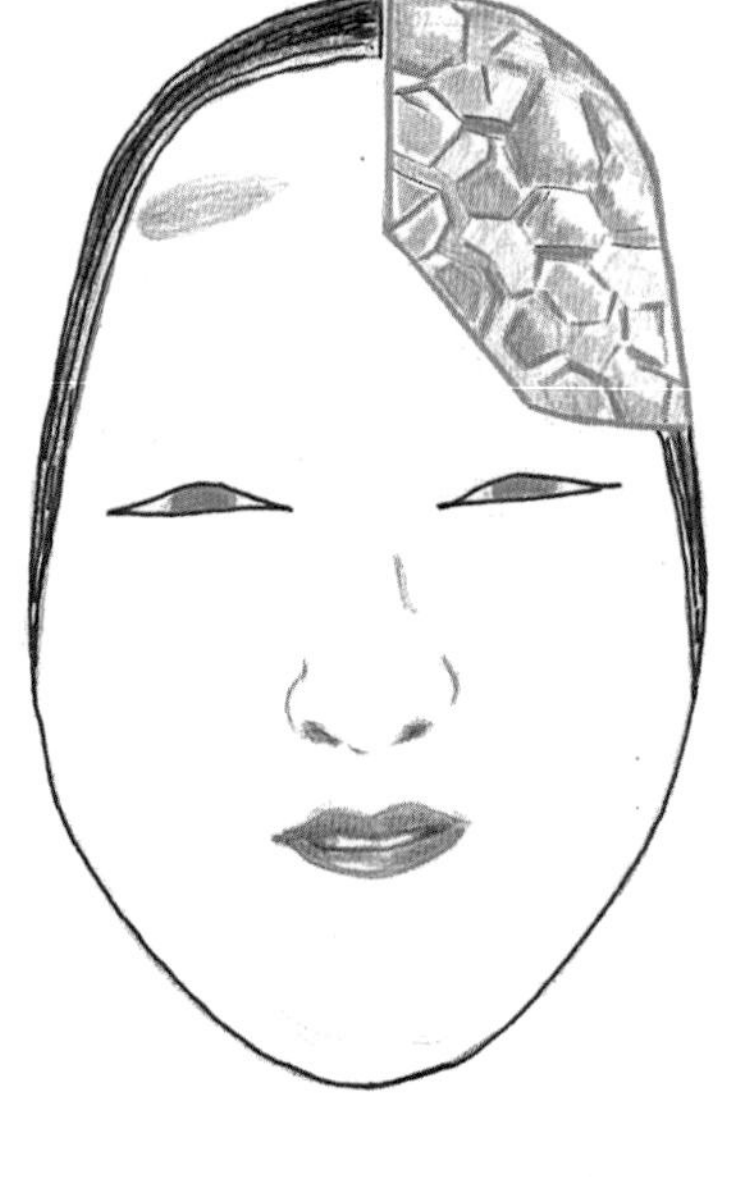

nomen = nohmen cyborg
[ラテン語]名前 能(脳)面 サイボーグ

nohmen → no men → no man → not human !?

Illustration 吉永京子

人間のための技術が人間を「支配」する？

情報技術の分野では、電子メールやSNSの登場により、場所や時間の制約を超えて他者とつながりやすくなった一方で、返信を急がなければならないという強迫観念や不自由さも生んでいる。通勤時間、友人との昼食時も多くの人が常にスマホを操作している。依存症とまではいかないまでも、我々の生活はスマホを中心に回っている。

AIも人間の選択・行動に大きな影響を与えている。オンラインショッピングでは、購入履歴に基づいてAIが勧める商品を買う人は多いだろう。採用や司法など、人の一生を左右する場においてもAI活用は進んでいる。AIのほうが人間よりも公平に判断できる可能性があることは否定できない。

しかし、不適切な学習データの利用により不当なスコアリングやレイティングによる差別が生じたり、AIバイアスのかかった誤った判断で人生が左右されることはありうる。AIの活用において懸念されることは、その判断過程がブラックボックス化して検証できないなかで、人々が無条件にAIの判断に従うような事態である。

AIの兵器利用が進められている。みずから標的を判断して殺傷する致死性兵器システム「LAWS（Lethal Autonomous Weapon Systems）」、いわゆる〝キラーロボット〟の開発のコアとなっているのもAIである。多くの人は、このような技術開発・利用を望んでいないに違いない。歯止めが必要ではなかろうか。

また、生命倫理の分野においては、命の選別の危険性が指摘できる。

出生前診断や第三者の精子提供を行う精子バンクの利用が間違った方向に進めば、人は自分が欲する遺伝子を求めるようになり、障がいや個性、多様性に対する寛容さが失われていくかもしれない。多様性の喪失は環境の変化などへの柔軟性を失うことにつながり、生物としての危機ともいえる。

さらに「デザイナー・ベイビー」については自然の摂理に逆らって遺伝子を操作・選別したり、ビジネス化することの倫理的問題も指摘されている。「家族」のあり方や定義にも変化をもたらすだろう。それによって生まれた人の自己決定権という論点も生じる。

また、クローン人間を生み出すことについては国連をはじめとする国際機関が禁止すべきだと宣言しているものの、法的拘束力はなく、規制は各国の判断に委ねられている。

テクノロジーの進歩によって、人が技術に支配されるようになると、人間が本来持っている身体機能や思考・感情といった「人間らしさ」の喪失を招く可能性も出てくる。

欧米では手の皮膚にマイクロチップを埋め込み、手をかざして電子決済をする例も出てきており、実際、スウェーデン鉄道では、体内のマイクロチップによる精算システムがすでに導入されている。こうした「人体のサイボーグ化」があたり前になっていくと、人間とロボットとの境が曖昧になり、人間本来の身体機能の価値を下げることになるかもしれない。

また、身体の限界を超えた能力の拡張は、心と身体のバランスを崩しかねない。寿命も例外ではなく、極端な長寿化は幸せにつながらず、むしろ生きる目的を失わせることも考えられる。

みずからの脳ではなくAIに判断を委ねれば、新しい創造性は獲得できるかもしれないが、「思考する生き物」としての人間らしさも失われていくおそれがある。ある時、気づいたら「人間が技術を支配しているのではなく、むしろ支配されていた」ということがないようにしなければならない。

倫理観を育てる議論とグローバルな対話を

では、技術に支配されないようにするために、何ができるだろうか。「技術利用に関するルールの整備」「高い倫理観」「対話」が重要となる。

ルール整備については、「どこまでをテクノロジーに任せ、どこから先を人間が決定するか」を明確に設定することが基本となるだろう。

たとえば、EU一般データ保護規則のガイドラインでは、人間が決定に関与するよう促している。AIが個人の権利と自由に、大きな影響を及ぼす可能性があるためだ。新しい課題・将来起こりうる課題に対して、積極的に法整備をすることが求められる。

また、技術を社会実装し、そのなかでも人間らしさを失わないようルールを整備するためには、これまで以上に高い倫理観や判断力が求められる。ここで述べる倫理には、開発者・研究者の倫理と利用者の倫理の二つがある。

開発者・研究者には、開発する自由があるが、実用化した際の波及的な影響についても考える必要がある。一方、利用者は世のなかに出た技術の適切な利用の仕方や、そもそも本当に使ってよいものかを考えなければならない。

たとえば、情報技術についてはAIが下した判断を鵜呑みにしない、生命技術については人間本来の資質を大切にするといった姿勢である。

開発者・研究者と利用者の双方で問題意識を持つには、常に自問自答するなど、思考するクセをつけること、そして、他者との「対話」が必要である。

新しい技術やそれによってもたらされるメリットやリスク、対処法について議論することだ。

対話の場としては、「公共の場」と「自分の所属するコミュニティ」がある。

公共の場には、オフラインとオンラインの双方があるが、オンラインで意見を交換する場合は、発言に責任を持つ意味で記名を原則とすべきだろう。

また、検索により情報にアクセスするインターネットは、興味を細分化・固定化させる。広く公衆に向けられ、公共の場の形成に役割を果たしてきた新聞・テレビを見直すべきではないか。

一方、コミュニティのいいところは、ある程度、互いについての予備知識があるため、議論に入りやすいことだ。

もっとも、海外に比べると、日本人は、議論に慣れておらず、他者から自分と違う意見を示されると、人格を否定されたような気分になってしまったり、違う意見を持っていても口に出せなかったりすることも多い。

このような傾向を払拭していくには、子どもの頃から学校教育で積極的に意見交換する場を設けるとともに、科学技術の正と負の面に関する論理的な議論のトレーニングをきちんと積む必要がある。こうした問題意識を持つ教師も多い。画一的な教育方法で縛るのではなく、教育現場での意欲ある試行錯誤を後押しすべきだろう。

また、日本だけに閉じていては、技術的にも倫理的にも世界から取り残されてしまう。特に倫理観は、宗教や文化によっても異なる。多様な国の文化や人に触れ、見識を広めることが重要だ。人間らしさの特徴である「思考する」能力を失わないためにも、グローバルな対話が必要となる。

KYOKO YOSHINAGA

東京大学大学院法学政治学研究科修士課程修了。2003年、三菱総合研究所入社。専門は情報通信分野における国内外の法律・政策。サイバーセキュリティ、プライバシー、電子商取引、AI開発、技術倫理などの先端的な課題において、官公庁の政策立案支援、企業のガイドライン整備、研究・講演活動などに広く従事。2010〜11年イェール大学法科大学院で客員研究員として在籍。海外研究者との強いネットワークも有する。幼少期を含め米英に合計10年近く在住、英語・仏語に堪能。

三菱総合研究所
未来構想センター シニアプロデューサー
藤本敦也

三菱総合研究所
経営イノベーション本部 研究員
濱谷櫻子

Illustration｜中村隆

世界から 不機嫌が消えたら

人間は社会的動物である――アリストテレスが示した人間の定義は、コミュニケーションによって支えられているといっても過言ではない。コミュニケーションが人を人たらしめ、社会を支える基盤となっている。では、コミュニケーションをサポートするテクノロジーの発達により、他者の考えや気持ちがより深く理解できるようになったら、どうなるのだろうか。テクノロジーによって、気持ちのすれ違いによるストレス――不機嫌から解放された社会の姿を考える。

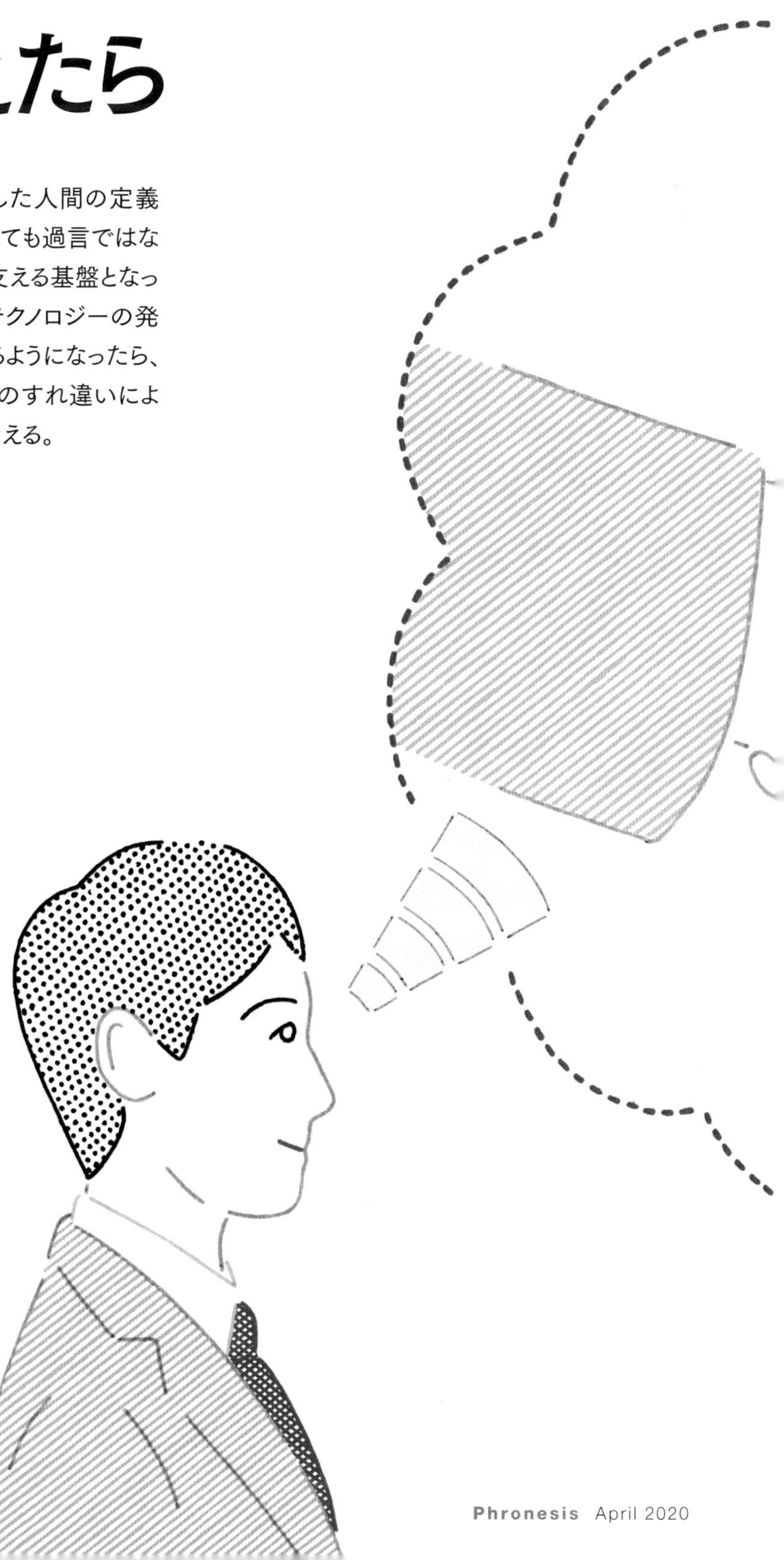

心が読める時代の人と人との関係性

時代とともに求められる能力は変化してきた。特に産業構造が変わる時には、求められる人材の有り様が大きく変わる。たとえば、日本の高度経済成長期、第2次産業が主流であった頃は、ルールに従って黙々と仕事をこなす人材が必要とされ、あるべき労働者の姿としてもてはやされることすらあった。

1970年代後半から、第3次産業に従事する人の割合が5割を超え、2010年代からは7割を占めるに至っている。コミュニケーション能力が必要とされる仕事に就く人の割合が増えているということだ。

その一方で、インターネットやスマホの普及により、ある程度の「情報（インフォメーション）」であれば、他者とコミュニケーションを取らずとも簡単に入手できるようになった。それゆえに、むしろ「情報」として発信される前の個人から直接得られる1次情報や、ウェブ上に氾濫する不確かな情報を基に、それらをふるいにかけ、情報と情報のすき間をつなぐ洞察力や分析力をもって生み出される「情報（インテリジェンス）」の価値が増している。

なかでも、1次情報から成るインテリジェンスを得るためには、他者と関係性を構築し、情報を引き出すコミュニケーション能力を備えていることが十分条件となる。インターネットの普及により情報が氾濫しているからこそ、コミュニケーションを介して得られる情報の重要性が増しつつあるといえるだろう。

また、今後AIやロボットが発達し、作業や仕事のクオリティが均質化される社会が到来するといわれている。このような社会においては、AIやロボットにはない、その人固有の「自分らしさ」をいかに他者に伝えられるかが、より重要視されるようになるだろう。人間の「自分らしさ」と「自分らしさ」の掛け合わせが、合理的なAIでは予測しえない非合理な非線形のイノベーションを創出し、社会を豊かにする可能性を秘めている。人間同士の自分らしさの掛け合わせを失えば、社会は予測可能な範囲内でしか動かない、退屈なものになってしまうに違いない。

とはいえ、自分らしさを他者に伝えたり、他者の自分らしさを理解したりするのは困難なことであり、相当なエネルギーを消費する。SNSを介した他者の情報から強い刺激を受け、曖昧模糊とした自分なるものを探すことに疲れ切り、心の病にかかる人はここ20年で急増しているようだ。ただでさえ、ありとあらゆる情報に翻弄され、目の前の情報を処理することで手いっぱいな毎日を送るなか、自分らしさの発信や理解にまで、とても気を配っていられないのが実情だろう。

自分らしさは他者との関わりのなかで育まれていく部分が多いため、その意味でもコミュニケーション能力を高めることへの重要度が増していくはずだ。

しかしながら前記の通り、インターネットなどのテクノロジーの進展により、他者と無理にコミュニケーションを取らずとも情報を入手できる世のなかになっている。その結果、人とリアルに接触しなくても、社会から孤立せずに済むため、ひと昔前であれば、地縁・血縁関係において、時に嫌々ながらも引っ張り出されていたような他者とのふれあいの機会も、避けて通ることができてしまう。

同様にインターネットにより、あまり人と対面せずに成立する職種・職業も増えている。組織内のいざこざに付き合わずとも、スキルとインターネット環境があれば、仕事の受注から納品まで業務的には不自由はない。

消費生活においても同じである。EC（電子商取引）など各種非対面サービスが発展した社会では、店頭に足を運ばずとも、必要な品を手に入れられる。くわえて、労働者不足に伴い、ウェブ上だけでなく、リアル店舗においても、省人化や無人化の進展が期待されている。

　ここまで見てきたように現代社会においては、広義の生産活動でコミュニケーション能力の重要性が増している一方で、日々の環境下では、個人がトレーニングする機会が減り、こうした能力が退化しやすい状況にあるのだ。この傾向は未来に向かうほど、強まっていくだろう。

　将来、他者との円滑なコミュニケーションが仕事に要求される人間の能力の中心になっていくとすれば、その能力差が、賃金格差に直結する可能性は高い。

人の心や人間関係を再構築するテクノロジー

　そうしたなか、これから必要とされるのは、コミュニケーションをサポートするテクノロジーであろう。実際、近年はそうしたテクノロジーが誕生し、急速な進歩を見せている。

　人間を工学的にとらえる技術開発は、人の筋骨格的な動作のエンジニアリングに端を発し、ロボットとして発展を続けてきた。近年は人間の脳に当たるＡＩを中心とした、知能の構築についての研究も進んでいる。

そして、２０３０年以降、「人の心」や「人と人との関係」を工学的にとらえ、数学的に再構築するといった心のエンジニアリングに関する研究が進み、それをコントロールすることさえも可能になるといわれている。

　具体的には、「言葉を介しない新しいコミュニケーション手法」や「コミュニケーション能力そのものを補う技術」が実用レベルに達すると予測される。テレパシーで通じ合うような、まさにＳＦの世界が現実になりつつあるのだが、脳活動が神経細胞間の電気信号から成り立っていることを考えれば、不可能な話ではない。

　すでにこうした技術は絵空事ではなく、世界じゅうの研究室でその萌芽を見せ始め、なかには実用化されているものもある。その一端を、以下に紹介していこう。

新しいコミュニケーション❶ 脳から心を読む ブレイン・デコーディング

　ＳＦでおなじみの「心を読む機械」が、ＡＩにおける測定技術の進展により、すでに研究レベルで実現しつつある。脳活動を計測することにより、頭のなかで思い浮かべているイメージを直接取り出す技術だ。

　国際電気通信基礎技術研究所と京都大学神谷之康研究室では、脳の信号を心の状態を表現しているコードと見なし、ヒトの脳信号から、見ているものや思い描いているもの、夢の内容などを、機械学習を用いてデコード（復元）する方法＝ブレイン・デコーディングを開発してきた。これは人が見ている画像や思い描いた画像を、機能的磁気共鳴画像法（ｆＭＲＩ／functional Magnetic Resonance Imaging）によって測定された脳活動パターンから再構成するというものである。

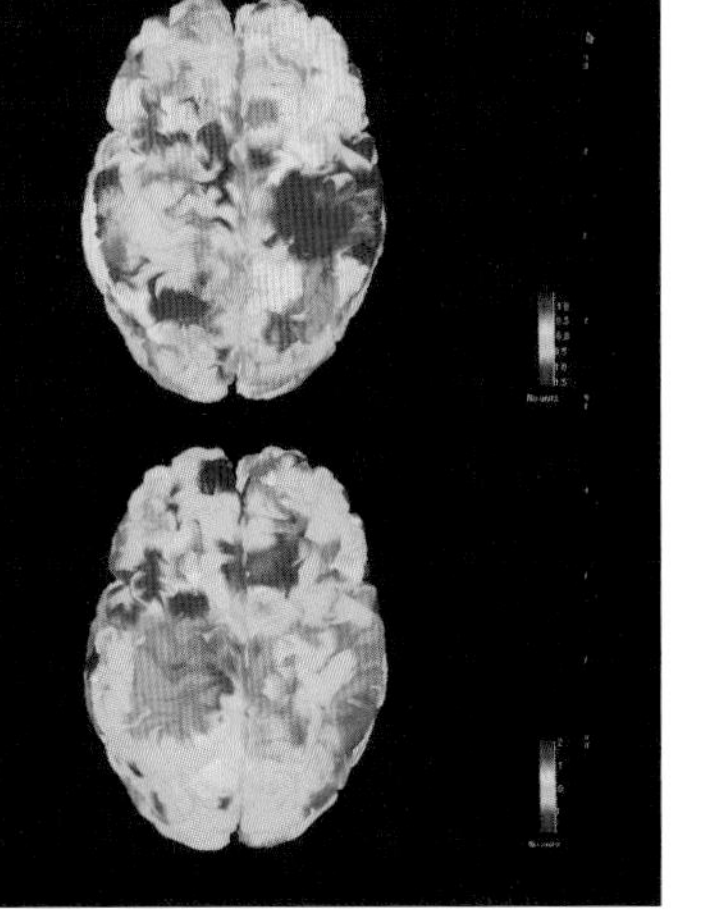

fMRIによって測定された脳の白質線維路の画像　Rick Madinic/gettyimages

再構成されたイメージは人間の目から見るとまだ曖昧模糊としたものだが、この技術が進むと、人が想像した光景などが、よりクリアに読み取れるようになるだろう。

将来的にはこの技術を活用することで、キーボードを使わずに直接PCやロボット義手を操作するブレイン・マシン・インターフェース（BMI）や、夢の映像化、幻覚に苦しむ人の治療などが可能になることだろう。

新しいコミュニケーション②
触覚を他者に伝えるハプティクス

これまで、機器を使ったコミュニケーションは聴覚情報や視覚情報によるものが主だった。これに力覚や温度感覚、圧力感覚などから成る触覚情報を加えようというのが、「ハプティクス（触覚伝送）」という技術である。

人間は日常生活でさまざまなものに触れることで、対象が実在することを確かめている。そのため、離れていても触覚が伝われば、人間はその情報をよりリアルに感じることができる。また、振動などで触覚情報を組み合わせて意味を持たせることができれば、聴覚障害や視覚障害のある人ともコミュニケーションできる新たな方法になりえるだろう。

●心臓ピクニック

電気的に接続された振動スピーカー（心臓ボックス）と聴診器を使って、自分や相手の鼓動を振動として手で感じ取れるようにしたもの。振付師でダンサーの川口ゆい氏、知覚研究者の渡邊淳司氏などによる、鼓動を感じるワークショップのために開発された。

心臓ボックスを手に持って聴診器を胸に当てると、振動スピーカーを通じて、鼓動を身体外部に感じ取ることができる。さらに、心臓ボックスをほかの参加者と交換すれば、自分と他人の鼓動の違いを感じることもできる。

情報化が進むと、ともすれば他者の存在は希薄になり、他者への思いも持ちづらくなる。単なる文字情報、記号となりがちな他者の情報を、身体的につかみ、実感し、理解し直す試みとなっている。ふだん意識することのない心臓の動き（鼓動）に触れることで、自分や他者の生命を強く実感することができる。

●力触覚を伝えるロボットアーム

ハプティクスの技術により、遠隔操作するロボットが触れた物の感覚を、人が直接手で触ったかのように柔らかく伝えることが可能となった。開発者は慶應義塾大学理工学部システムデザイン工学科、野崎貴裕氏らである。

操作用のグローブを通して、人の手に正確に力触覚をフィードバックする。基本的には、危険な場所での作業を人が遠隔操作で行うことを念頭に置いて開発されており、柔らかい紙コップをつかんで水を注ぐなどの、細やかな動きが可能である。

この柔らかい触覚伝送は、対物だけでなく、対人においても有効だ。たとえば、遠隔地から人の肩を優しく揉むことも可能であるため、新しいコミュニケーションツールとしての活用も期待できそうだ。

硬さや変形率などを高精度に伝える力触覚技術により、細やかな動きを見せるロボットアーム　写真提供：慶應義塾大学

「筋骨格としての人間」を再現してきたロボット工学が、「（コミュニケーションを交えた）人間らしさ」の表現に踏み出しつつある例だといえよう。

コミュニケーション能力を補う技術❶
脳波から感情をセンシングする感性アナライザ

人のコミュニケーション能力を補うためのテクノロジーも生まれつつある。ウエアラブルセンサーや画像解析を基に、AI解析によって、人の感情を評価、数値化する技術だ。

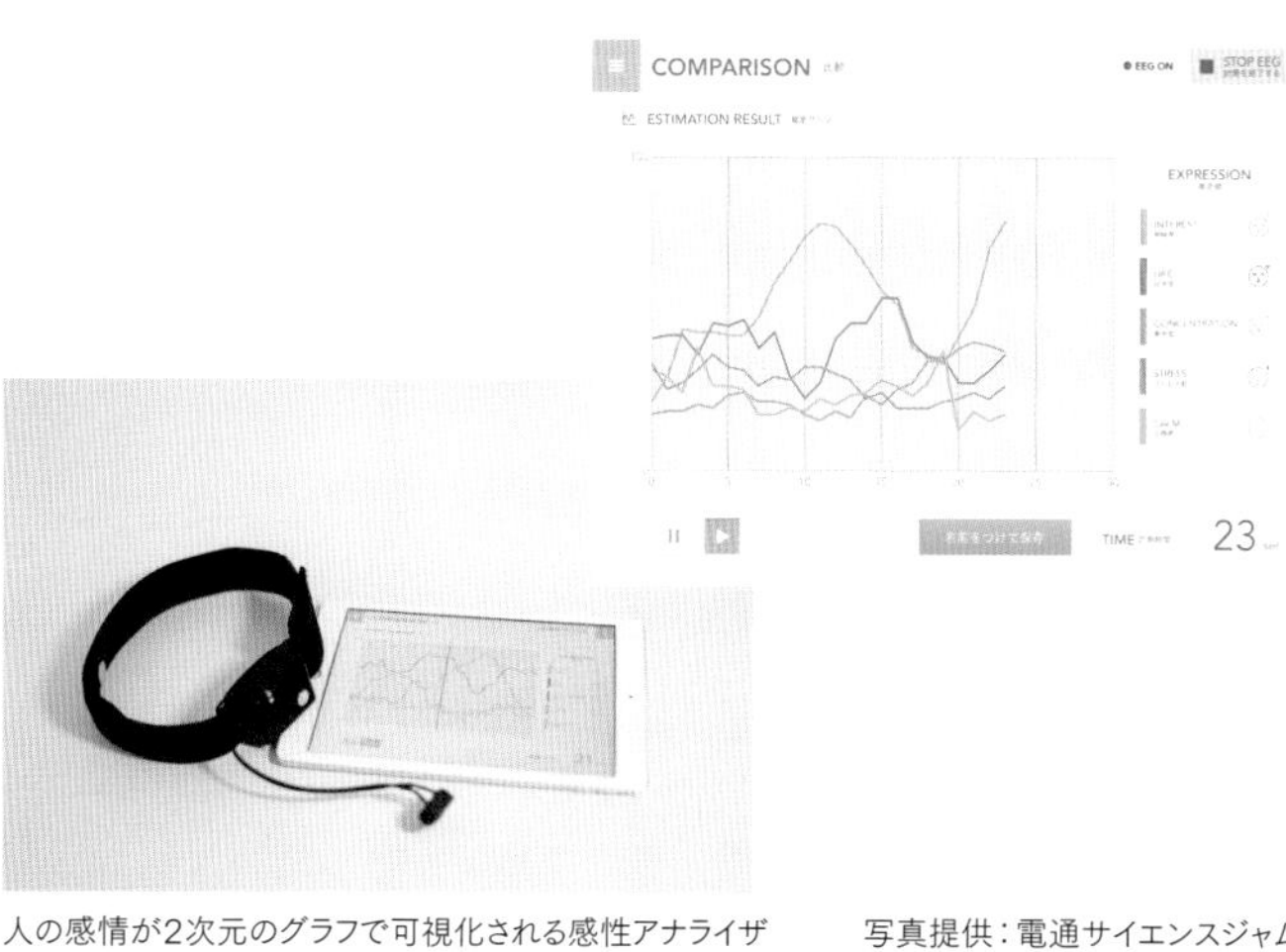

人の感情が2次元のグラフで可視化される感性アナライザ　写真提供：電通サイエンスジャム

その一つが、慶應義塾大学教授の満倉靖恵氏（134ページ参照）と電通サイエンスジャムが開発した「感性アナライザ」だ。ヘッドセットで脳波を測り、その生体信号を解析して、5つの感情（興味、好き、ストレス、集中、眠気）を数値化、リアルタイムにグラフで確認できるほか、データとして書き出すことも可能というものだ。

この感性アナライザは、すでにメーカーや研究機関などで導入されており、商品開発やPR施策、各種実証実験などに活用されている。最近では、2019年9月、認知症患者とのコミュニケーション改善を目的に、感受性に関する実証実験が行われ、認知症に対して、お笑いや童謡による感性刺激の効果が確認された。

「このヘッドセットが小型化されれば、日常生活での装着が可能になり、自分の心の状態をモニターしながらコントロールするといったこともできるようになる」と満倉氏は語る。

こうした人の感情を数値化するアフェクティブ・コンピューティングを1997年から提唱し、研究を手掛けてきたのが、マサチューセッツ工科大学メディアラボ教授のロザリンド・W・ピカード氏である。同氏は、ウエアラブルおよび非接触センサーを用い、人間の感情情報を感知、認識、対応するシステムを構築してきた。

これら感情解析AIは、医療機関から企業までさまざまな分野との協働が進んでおり、たとえば自動車運転中の感情やストレス状態を分析し、ドライブの安全と質の向上に役立てるといった利用がなされている。

医療分野においては、自閉症、てんかん、うつ病、心的外傷後ストレス障害（PTSD）、睡眠障害、ストレス、認知症、自律神経系障害などの症状改善に適用する可能性に期待が集まっている。

そのほか、健康行動の変化や市場調査、顧客サービス、および人間とコンピュータの相互作用に応用しうると考えられる。

コミュニケーション能力を補う技術❷
人の好みを操作するニューロフィードバック

顔の好みを、好き・嫌いの両方向に変化させる技術がある。この研究は、日本医療研究開発機構の脳科学研究戦略推進プログラムの課題「DecNefを応用した精神疾患の診断・治療システムの開発と臨床応用拠点の構築」の一環として、国際電気通信基礎技術研究所、ブラウン大学（アメリカ）、日本医療研究開発機構が共同で実施。高次の脳領域（帯状皮質）にニューロフィードバック技術を適用したものである。

実験では、帯状皮質に対して、「好き」に関わる脳活動を誘導しながら顔写真を提示すると、その顔に対する好感度が上昇。一方、同じ写真を見せながら「嫌い」に関わる脳活動を誘導すると、その顔に対する好感度は低下した。

この成果は、帯状皮質が好き・嫌いという異なる認知機能の両方に関わることを意味する。従来のヒト脳研究では、異なる脳領域がそれぞれ別の認知機能に関わるとされてきたが、単一の脳領域内の異なる活動パターンが、それぞれ異なる認知機能の変化を引き起こすことが証明されたのだ。

本研究により、ニューロフィードバック技術は脳の低次・高次にかかわらず、あらゆる脳領域に適用可能であり、かつ認知機能を複数の方向に操作可能な技術であることが確認された。

この技術を改良、応用することで、これまでの投薬などの方法では対応が困難だった精神疾患を改善するための新しい医療技術の開発が期待されている。

国内の研究機関・医療機関ではすでに、ニューロフィードバック技術の医療応用が始まっており、強迫性障害、慢性疼痛、自閉症、うつ病、PTSDなどの疾患を対象とした研究で、一定の成果が得られつつある。このような訓練で症状の改善が可能になれば、従来の薬物療法や行動療法とは一線を画す新たな治療法となるだろう。

なお、こうした技術は一歩間違えば、「洗脳」と見なされる可能性もある。そのため、生命倫理の観点から慎重な諸手続きが検討されたうえで実施されている。

また、医療応用としても新しい技術であるため、副作用など有害事象の可能性を慎重に排除していく必要があるだろう。

心のエンジニアリングがもたらす未来

これまで紹介してきた手法や技術が進展することで、どのような未来が導き出されるだろうか。

人のコミュニケーション能力が飛躍的に高まり、他者への理解が深まっていくだろう。話し下手や人見知りといった個人の特徴はもはやコミュニケーション上の障害とならず、どんな相手とも、誤解が生まれることはない。その結果、世界からコミュニケーション起点のストレス――不機嫌がなくなるはずだ。

以下に、技術進化のプロセスを5年ごとの時間軸で予測してみよう。

●5年後

リアルタイム感情センサーなどを活用した、効果的なビジネスコミュニケーション研修や、相手の印象をよくするための見た目やふるまいをVRで教育するプログラムがサービス化される。

まずは、スキルの根幹としてコミュニケーション能力が求められるシーンや職種を中心に、テクノロジーが進出するだろう。たとえば、就活対策指導や営業対応指導、コールセンター指導などでの需要が見込まれている。

人から人へのアドバイスは時として反発を生むこともあるため、HAI（Human-Agent Interaction）などの研究分野で、伝え方をレクチャーできるインターフェース（アバターや音声など）のあり方も模索されることになるだろう。

●10年後

コミュニケーション支援テクノロジーの分析・支援対象となるシーンや内容が、社会生活全般へと範囲を広げるだろう。

たとえば、自分のイメージや、相手からの好感度が見える化されることで、それを制御するためのプログラムがさらにブラッシュアップされていく。

脳活動計測などを活用した、エビデンスのある新コミュニケーション手法がコンシューマー化し始める可能性もある。

●15年後

情報の受け手に対して、常に最適なコミュニケーションを実現するためのテクノロジーが導入される。

自分の要求を相手に効果的に伝えるための言葉やふるまいを、ＡＩがアドバイスする代理エージェントのような技術も誕生するかもしれない。

一方で、コミュニケーションのエンジニアリングが発達した反作用として、人の気持ちを理解する能力が弱まっていく可能性もある。そして、それをサポートするトレーニングテクノロジーが登場することも考えられる。交通機関の発達により人々は歩かなくなり、健康を保つためにジムやジョギングが流行する……といった流れに似た現象が起きる可能性がある。

不機嫌が消えたその後の世界

ただし、コミュニケーションをエンジニアリングするということは、人と人とのつながり、つまり社会の根幹に関わる技術を生み出すことになる。よって、技術的に可能であることと、社会的に可能であることは分けて考えねばならない。社会実装においては、技術が人々の倫理観に与える影響を適宜確認しながら、技術そのもののあり方や、技術活用に制約を与える仕組みに対するフィードバックループを回し続けることが肝要だ。

テクノロジーが発展していけば、相手の知らない間に感情を読んだり、操作したりすることが技術的に可能となるだろう。それとともに、機械に自分の心を読み取られることへの社会的な反発が起こることも予想される。

また、マイクロソフトのチャットボット「Ｔａｙ」に起きたように、ＡＩの学習アルゴリズムを逆手に取り、差別的なふるまいをチャットボットに教え込むといった悪意を持った提供者やユーザーの登場も懸念される。

こうした問題を受け、いきなり一般に開放するのではなく、まずは発達障害など生きづらさを抱える人向けのソーシャルスキル・トレーニングとしての活用や、マーケティングなどにおける消費者心理の調査などで、段階的かつ制限付きで普及させながら、徐々に環境を整備していくことが必要とされるだろう。

このほかにも、言語や非言語コミュニケーションの多様性が損なわれるのではないかという不安もある。一般にコミュニケーションの形は、国や文化、宗教の違いが色濃く反映されている。一例を挙げれば、「貸し借り」について、ある文化では「借りたものは、何があろうと返すのが誠実」と見なされるが、ある文化では「富める者が貧しい者に施しをするのは当然であり、返す必要がない」と考える。こうした考え方の違いはコミュニケーションの取り方と密接に関連し、時に誤解や意図せぬ「不機嫌」を生んできた。

文化の違いをコミュニケーション支援テクノロジーが乗り越えることは可能なのか。もし可能ならば、その副作用として、文化

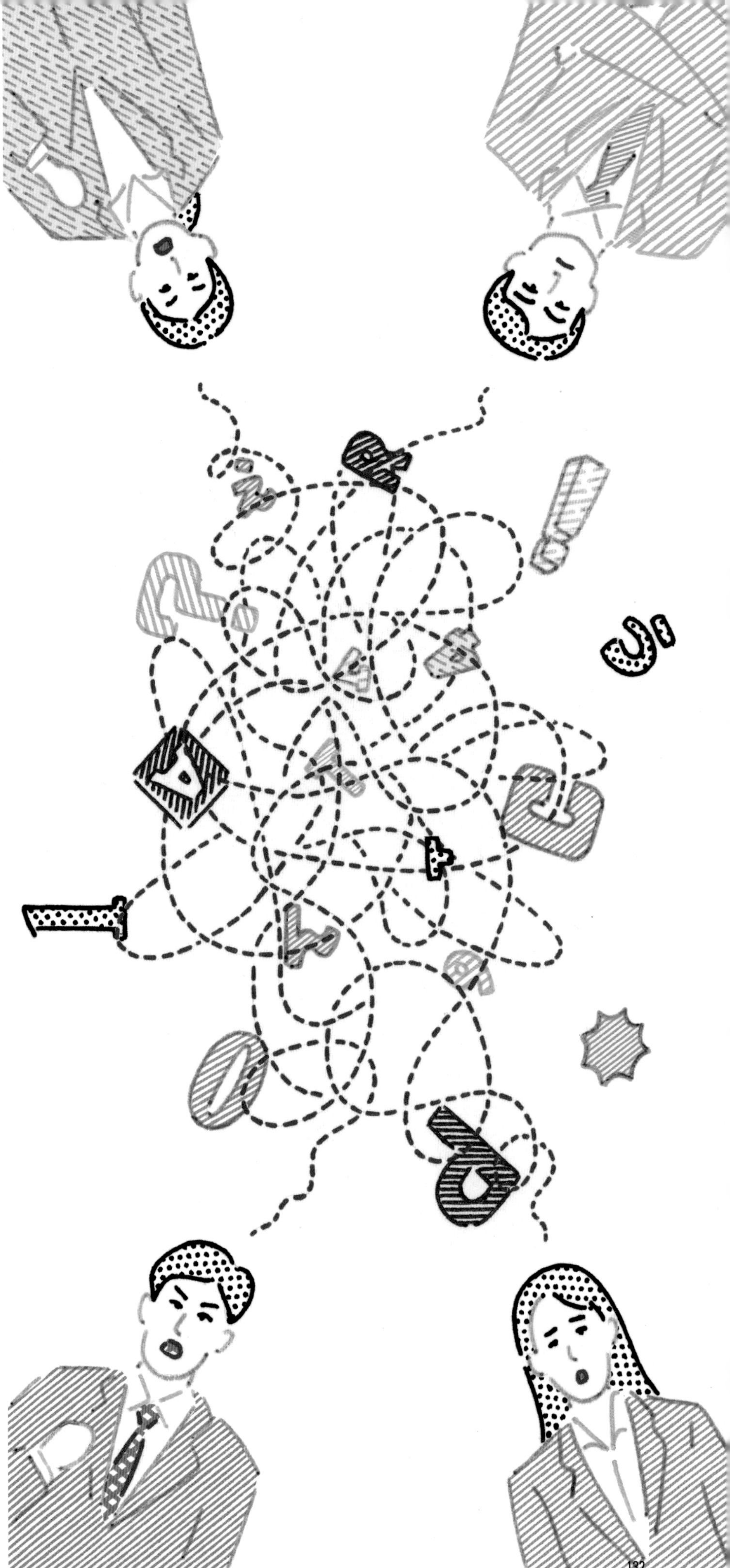

はやがて均質化されていくのか、あるいはかえって際立っていくのか、慎重に検証していく必要があるだろう。

また、同様の懸念は同一文化圏内においても起こりえる。コミュニケーション支援テクノロジーを利用することによって、他者ときわめて合理的な関係性を築きやすくなる一方で、個人のふるまいの差がならされ、均質化してしまう可能性も想定しておきたい。

感性アナライザを開発した満倉氏が指摘するように、相手の気持ちや考えを自分の頭や心で想像することをやめてしまうことで、感情表現が乏しくなることも考えられる。冒頭で触れたイノベーションを生み出す「自分らしさ」が、テクノロジーの普及によって、失われるリスクもあるということだ。

さらに言えば、コミュニケーション支援テクノロジーが社会実装されていくなかで、他人との関係がむしろ希薄化していく可能性もある。自動車の発展が人の歩く能力を衰えさせたように、技術に頼り過ぎるあまり、他者の気持ちを理解する力が弱まる可能性は高い。

くわえて、テクノロジーを活用することで、「嫌われるリスクのあるコミュニケーション」が自動的に自粛されてしまう可能性がある。相手に対して敵意ある意思表示はもちろんのこと、相手の感情を揺さぶる愛情や感動を伝える行為そのものが、リスクの高い意思疎通と見なされるようになるかもしれない。

その結果、テクノロジーを活用する人間の選択としても、リスクの少ない（＝感情に訴えかけない）意思疎通が一般的になり、感情の起伏の少ない日々を送るうちに、自分の気持ちすらわからない社会になってしまう可能性も危惧される。

テクノロジーによって、つまらない争いや、不機嫌になる機会は減るかもしれないが、そのような人間、そのような社会がはたして絶対的に豊かであると言い切れるだろうか。ミスコミュニケーションを減少させ、世界から不機嫌を消すことは、議論の生産性向上の観点から見るとよい方向であることは確かだろう。しかし、他者との関係性のなかで自分らしさを築き、他者との競争により社会を進展させてきた人類にとって、ある程度の軋轢や不機嫌は残すべきである。以上のような議論もまた、丁寧に行っていく必要がある。

これらの懸念をふまえ、十分な環境を整えたうえで技術が進展していけば、コミュニケーション起点での争いがなくなり、自分と価値観の異なる他者とストレスなく連携の取れる社会が実現していくことだろう。その結果、コミュニティ間の分断が避けられるようになり、「真の共生社会」が到来することも夢ではない。

真の共生社会では、個々人がみずからの志向に特化しながらも、共通言語を持ってコミュニケーションを取り合うことで、知の掛け合わせが容易になり、一段とイノベーションが進むだろう。

技術的には、人と人との関係性に干渉できる時代は必ず到来する。だからこそ、心のエンジニアリングにおいては、人の心や感情、価値観といった人間である理由そのものに踏み込む点で、他分野の研究よりも、いっそうの倫理観や制度設計が必須になることを忘れてはならない。技術の進化に後れを取らぬよう、人間の側もテクノロジーに対する興味を持ち続け、理解し、利用の取捨選択を行う理性を持ち続けることが、何より肝要である。 P

SAKURAKO HAMATANI

慶應義塾大学大学院総合デザイン工学専攻修士課程修了。2017年、三菱総合研究所入社。専門はロボティクス、オープンイノベーション支援、新規事業戦略立案・実装支援。官庁や大手民間企業における、国内外のスタートアップを中心とした他社連携・産学連携によるオープンイノベーション支援や、大企業社内でのイノベーション風土醸成に関する調査・コンサルティングに従事。その他、先端技術を用いた新規事業戦略立案・実装における幅広い支援に携わる。

慶應義塾大学 理工学部システムデザイン工学科 教授

満倉靖恵

YASUE MITSUKURA

聞き手|三菱総合研究所 未来構想センター シニアプロデューサー 藤本敦也
三菱総合研究所 経営イノベーション本部 研究員 濱谷櫻子
写真|黒澤宏昭 構成・まとめ|鷲島鈴香

感情の見える化が人の心と社会を変えていく

脳波から人の感情をリアルタイムで知る技術がすでに実用化されている。本人でさえ自覚しにくい「好き」や「ストレス」などの感情も読み取ることができるようになっており、将来的には、外部から電気信号を与えることで、人の感情をコントロールすることも夢ではないとされている。こうした技術の発展により、人と人との関係や社会はどのような未来を迎えるのか。脳波信号解析の第一人者で、慶應義塾大学教授の満倉靖恵氏に話を聞いた。

言葉よりも正確に脳波から感情を読み取る

脳波から感情を読み取る研究に取り組んでいらっしゃいますが、具体的にどのように識別するのでしょうか。

すべての感情は、脳内に存在する神経細胞（ニューロン）の活動によって発せられる電気信号で決まります。脳波はその信号を記録したものですが、人は同時にいくつもの周波数が入り混じった信号を脳波として出しています。特に感情はその組み合わせの違いとして顕著に表れます。ですから、脳波を測定し、ある感情に共通する周波数のパターンを抽出できれば、人の感情を読み取ることができます。

ところが、この抽出作業は容易なことではありません。ある感情の時にだれもがきれいに同じ脳波を示すわけではないからです。しかも、個人差が大きく、人種や文化、年齢などの影響も受けます。

そこで必要になるのが、サンプルの収集です。たとえば、ストレス状態のサンプルの脳波を集める時は、皿に入った小豆を箸で30センチ離れた皿に移すという作業を被験者に1時間続けてもらいます。そして、脳波を測定しながら、作業前・作業後に唾液を採取し、ストレスの生態指標となるコルチゾールの値を測定します。次にこの値が作業後に明らかに上がっている、つまり大きなストレスを受けた人を選んでレベル分けをし、各脳波の特徴を割り出していきます。

こうしたサンプルの収集を始めてから18年になります。さまざまな国のさまざまな年代の人からサンプルを収集し、その数は1万人近くに及んでいます。その膨大なデータの解析により、現在、17の感情の度合いを、脳波からリアルタイムで把握できるようになっています。そのうち、「興味」「好き」「ストレス」「集中」「眠気」の5つの感情について、ヘアバンド型の簡易脳波計と解析ソフトで識別できるように開発したのが、「感性アナライザ」というシステムです。

車の乗り心地がタイヤによってどう変わるのか、CMのどの場面に反応しているのかなどを、数値で解析できるのが強みです。精神疾患の定義付けや重症度の判定などにも役立てられるのではないかと、医学部と共同の研究も進めています。

すでに脳波から人の感情を読む技術が実用化されているのですね。開発に当たって、苦労された点はありましたか。

開発に限らず、脳波の測定方法に乗り越えなければならない壁がありました。脳は頭蓋骨や頭皮など6層に覆われているため、ミリボルト単位で大脳皮質から発生した信号は、脳波として頭皮に届く頃にはマイクロボルト単位まで弱まります。ところが、まばたき一つでも、顔の筋肉に電流が流れます。こうした脳以外から発生した電位もセンサーは拾ってしまうのです。しかも、ダイレクトに拾うため、ミリボルト以上のノイズとなり、マイクロボルトの脳波は埋もれてしまいます。

ですから、こうしたノイズを一つずつ解析して、除去するためのアルゴリズムを開発し、ヘッドセットとソフトに組み込むことで解決を図りました。

こうして測定しながらノイズを除去した脳波が1万人のサンプルのどの辺りに相当するかを照合し、個人差を調整したうえで、1秒ごとに感情の数値として表示されるようになっています。いまでは頭を振っても測定可能なレベルになっています。

現在、ＡＩの顔認識能力が上がっていて、顔の画像と顔のデータベースを基に、個人を特定することも可能になっていると聞きます。将来的には、遠隔から表情を読んで、その人の感情を識別できるようになる可能性はありますか。

顔の画像認識を基にした感情の識別は、私も実験していますが、現状では難しいと考えています。人間は「つくり笑い」ができますから、いまの画像認識レベルだと本当の笑いと識別できません。

個人ベースの心のトリセツでストレスコントロールが可能に

現在、感性アナライザは、企業によるビジネスでの利用が中心になっているようですが、個人がこうした心を読み取るシステムを利用するとしたら、どのような用途が考えられますか。

自分自身の心の状態というのは、意外とわからないものです。たとえば、「好き」といった感情は生存に直接関係がないため、昔は重要視されていませんでした。その名残で、そもそも自覚しづらいのです。

一方、人間はもともと動物ですから、危険な状態を察知するために必要なストレスなどの感情は非常に感じやすくできています。ところが、現代社会では感じたままに反応することが難しいため、知らず知らずのうちにストレスをため込むことが多くなります。本人に自覚はなくても、脳波には出ているわけです。だからこそ、脳波を測定しながら日々の自分の心の状態をモニターする意味があります。

自分のストレスポイントがわかれば、「ここまではできる」「これ以上は無理をすべきでない」といったことを、バイオフィードバック（自発的に制御できない生理活動をセンサーなどにより工学的に測定して対象者に自覚させる技術）をかけながら把握できます。「これをやればリラックスできる」ということがわかっていれば、実践してストレスポイントを下げるなど対処できます。つまり、自分自身のトリセツがつくれるわけです。

「自分はこういう考え方をする人間なんだ」「こういうことを苦手としているんだ」など、自分ひいては人間への理解も深まるでしょう。

みんなが使い始めると、お互いの気持ちが見えるようになって、人と人との関係性も変わってきそうですね。

相手の心がわかれば、「こうやるとこの人はストレスを感じるから、アプローチを変えよう」といった相手に対するトリセツも準備できます。ストレスを感じる相手がわかれば、これまでより自覚的に、その人との接触を避けたり、振る舞い方を考えたりするようになるかもしれません。

　また、いままで知らず知らずのうちに他人を傷つけていた人に自覚を促したり、コミュニケーションを苦手とする人に、脳波の改善を通じてトレーニングしたりするような使い方もありえるでしょう。

　いずれにしても、いまの社会で重要視されている「人の気持ちを察する・理解する」というプレッシャーは薄れ、コミュニケーションに関する苦労や苦悩は軽減していくと思います。

お互いの気持ちがわかるがゆえに、コミュニケーション能力が問われて、逆にプレッシャーになる心配はありませんか。

　その心配もなくはありませんが、やはり、コミュニケーションの上手な人は感性豊かで、瞬時に感情を制御できたりします。

　こうしたことは、いくらトレーニングしても、そうそう真似できるものではありません。どの分野でも、いくら頑張ってもこの人には絶対勝てないという人がいるのと一緒です。

　そうしたレベルまで到達できる人はごくわずかなので、プレッシャーを感じるほどのことにはならないと思います。

　それよりも、人の気持ちがわからず、相手を傷つけたり、嫌われたりするのが怖くて話せなかった人が、相手の心理状態を把握することで、話しやすくなる可能性のほうが大切です。精神的な病気でうまく話せない人も、こうした機器を使って理由を探っていくことで、解決の糸口が見つかるかもしれません。

　物事には、必ずよい面と悪い面がありま

YASUE MITSUKURA

1999年、徳島大学助手、2002年、岡山大学専任講師、2005年、東京農工大学大学院助教授などを経て、2011年、慶應義塾大学理工学部准教授、2018年より現職。信号処理、機械学習、パターン認識、人工知能、統計処理などの技術を用いて、生体信号や音声、画像から必要な情報を抽出する研究に従事。現在は脳波と画像を扱った研究や医学との融合を中心に推進。

す。双方を見た時に、どちらを重視するかは人それぞれです。よい面が11、悪い面が10あったとしたら、変化を望まない人もいるでしょう。私は悪いことが11だったとしても、よいことが10あったとしてもその選択肢を選びます。プラスの効果をどう引き出すかを考えていきたいところです。

そうした意味で、現在の感情を読み取る技術を活かして、今後、どのような展開が考えられますか。

すでにその人の感情がどんな状態かを、数値として視覚化することはできているわけです。そこから目指すのは、反対に「感情を入れる」技術です。

世のなかには、ストレスに悩まされている人がたくさんいます。そんな時に、外から別の感情を入れてあげることで、ストレスを解消できるような技術を開発したいと思っています。

先ほどもお話しした通り、脳波は電気信号です。ということは、ストレス状態時の電気信号を、嬉しい時の電気信号に変えてやれば、気持ちが変わります。すでにヘッドセットの電極から微弱な電流を流すと、脳波が変化することは実証済みで、現在、ストレスを下げる電気信号は見つかっています。

現段階でできるのは、まだストレスの値を下げることだけですが、いずれは、ボタン一つで「嬉しい」「悲しい」など、なりたい気持ちになれる機能を実現できると考えています。最終的には、「ワンコインで気持ちを買いに行く」、そういう時代が来るでしょう。電流で気持ちが楽になるわけですから、アルコールやドラッグが不要になり、これらへの依存症が防げるようになるかもしれません。精神疾患も、症状によっては薬ではなく、ストレス解消の周波数によって改善させることが可能になるかもしれません。

機器も、現状はヘッドセットですが、人に気づかれにくい小さなセンサーにして、感情の取得が自然な形でできるようになると思います。これは、ここ数年の間に実現できる見通しです。そうなると、センサーをつけたまま家事や仕事をしたり、入浴したりできるようになります。つけっぱなしにすることができるようになれば、日々の体調管理なども、自分の脳波を見ながら行えるようになります。

ヘッドセットと解析アプリの入ったスマートフォンをペアリングして、時には他人の気持ちを読み取ったり、要望に応じて気持ちを入れたりすることも、技術的には可能です。倫理的な問題はさておき、できるかできないかでいうと、できるようになるでしょう。

いま、お話に出た倫理的な問題として、クリアにしておかなければならないことは何でしょうか。たとえば、脳波も個人情報として扱うべきでしょうか。

指紋などと違って、脳波の周波数はだれしもゼロから30ヘルツの間に収まるため、個人を特定できるようなものではありません。そのため、制度を整備して「個人情報として保護する」対象にはなりえないでしょう。

ただし、デバイスについては、何らかの業界標準のようなものが必要です。脳波というセンシティブなものを扱うデバイスには、一定のクオリティが求められます。

Aという機器は脳波を取ってろくにノイズを除去せずに「あなたはストレス状態、うつになるかも」と判定する、Bという機器は「好き」と示す――。これでは信頼性が損なわれるどころか、利用者に害を及ぼしてしまいます。こういった点から機器やサービスを提供する側の倫理観を問う必要があります。

一方で、今後さまざまなクオリティの機器やサービスが出てくるなかで、何を選び、どのように使うか。利用するコンシューマー側の倫理観、そしてリテラシーを教育していく必要もあるでしょう。

技術の発展は止められない部分がありますが、人の心に入っていき、気持ちを見ることや気持ちを変えることの是非については、非常に重要な課題です。技術開発とは別に、そういった倫理面からの議論を深めていく必要もあります。

心を読めるようになった社会の未来

自分自身の好き・嫌いがはっきりと自覚できた場合、好きなものや人だけに囲まれていたいという欲求が高まりそうです。その結果、フィルターバブル化のような現象が、起こることはないでしょうか。

十分ありえることです。そしてその状況が行きすぎると、おもしろくない世界になると予想しています。

嬉しい気持ちは、嫌なことがあるからこそ引き立ちます。痛みを知っているからこそ、安全な環境では安心感に浸れるのです。不快な気持ちがなくなったら、おそらくプラスの感情も薄れ、気持ちの起伏がなくなっていくのではないでしょうか。

そして、好きな人ばかりで集まって無感情な状態で過ごしていると、刺激がなさすぎて脳が働かないので、イノベーションなども起きづらくなるでしょう。人間はただただ物事を推し進めるだけ、テクノロジーを進めるだけの、それこそロボットのような存在になってしまいます。

その結果、好きという感情そのものも平坦なものになり、人の心の成長や生殖に重大な影響を及ぼすことも考えられます。他者を思いやるオキシトシンなどのホルモンが出なくなり、社会や家族のつながりの薄い、個が突出する社会が到来するかもしれません。

場合によっては、現在のような集団としての社会は形成されなくなる可能性も高いと思います。その世界では、人が人を頼ってカップルができ、生殖機能が働いて子どもが生まれて……というサイクルがなくなり、やがて人類は滅亡することになるかもしれません。

また、人間が進化の過程で尻尾を失ったように、脳に同じことが起こることも考えられます。人の気持ちや場の空気を読もうとすることによって、脳は発達してきましたが、その必要がなくなれば、感情をつかさどる前頭前野はほとんど貢献しなくなって退化するかもしれません。その代わりに後頭葉など、脳のほかの機能が発達して、脳や頭蓋骨の形が変わってくることもありえます。

快適さを追求し続けた結果、思いもしない未来が待っていそうで、怖い気もします。

個人的には、人と人とのつながりの薄い社会は寂しく思います。それが対立する関係であっても、それを解消するためにアイデアを考えることで、脳は鍛えられてきました。

もし「苦手」の感情を消して「好き」だけを残すと、感情が湧き起こる幅は狭まります。それに対して、何かに強い苦手な気持ちを持つ人は、好きを感じる力も相対的に高まります。言わば、感情が湧き起こる幅が広いわけです。

この幅を広げるには、結局のところ、人の気持ちを理解しようとするとか、お互い納得のいくまで話し合うとか、現在、普通に行われていることが重要になります。もちろん、感情の振れ幅が広すぎるのも、それはそれで本人も周囲も大変ですが。

ただいずれにしても、ある日突然、人とのつながりの薄い社会になるわけではありません。徐々に変化は進んでいきます。ですから、きっと未来の人たちの目には、いまの私たちの姿は「心なんてものを持った面倒くさい人たち」に映るでしょう。

もちろん、そこに至るまでの過程で、悪いこと、つまりリスクをなくす努力は必要です。フィルターバブル化についても、たとえば「苦手な人を克服すると心が豊かになりますよ」というようなパラメーターを設定して、苦手を克服する喜びを意識づけるといったアイデアによって、そうならない未来を選択できるかもしれません。P

京都大学大学院 情報学研究科 教授

西田豊明

TOYOAKI NISHIDA

聞き手｜三菱総合研究所 未来構想センター シニアプロデューサー 藤本敦也
三菱総合研究所 経営イノベーション本部 研究員 濱谷櫻子
写真｜貝原弘次　構成・まとめ｜上田理恵

AIが会話を通じて人と人とをつなぐ

会話、およびその基盤となる原則を分析し、社会的な共有知を増進するためのコミュニケーション体系の構築を目指す会話情報学。その第一人者で、AI研究のロングランナーでもある京都大学大学院教授の西田豊明氏は、会話プロセスの背後の文脈を「見える化」する会話エンビジョニングの研究を進めている。テクノロジーがコミュニケーションに深く関与することで、人と人との関係はどのように変化し、30年後、50年後にはどんな社会が訪れているのだろうか。

人とAIは対話ではなく、会話でつながるのが究極の姿

チャットボットや音声アシスタントなど、さまざまな用途で人と会話をするテクノロジーが広がっています。こうした技術開発において現在最大のテーマはどういったものでしょうか。

人とAIのコミュニケーションを考えるうえで、これから重要となるのは対話ではなく会話です。両者の違いは、単に話す相手が1人か複数かというものではありません。対話では自分と相手の対立点をはっきりさせて、対立の原因となる問題の解決を探るのが基本であり、問題が解決されたらいったん終了です。これに対して会話は、参加者が協力して共通項を発展させていくプロセスであり、うまくいけばいくらでも続くエンドレスなプロセスです。対話では相手は自分と異なる存在ですが、会話では話が盛り上がってくると、参加者の関心は共通項自体に向かい、発言者がだれだったかは副次的なことになっていきます。

現実には、会話と対話は混じり合ったものであり、会話のなかで問題が明確化して対話モードになったり、逆に対話のなかで会話でひと息ついたりしますが、会話において試行錯誤を重ねたり、道草を食ったりしながら思考がいつまでも発展していくところが大事です。

「Siri」「Alexa」「Google Home」「Sara」(注1)など、人の呼びかけに応えてくれるAIが普及してきましたが、まだどれも機械学習で学んだ大量の会話例や回答例を基に、インプットされたコマンドに反応するレベルに留まっていて、話の背景やだれとどんなことについて話をしてきたのかなどについての理解はゼロといっていいレベルです。換言すれば、人の言葉を理解することなく反応しているだけで、まだ、会話に参加しているとはいえません。会話が発展しないのです。

AIを使ったスマートスピーカーがコモディティ化したこと自体は素晴らしい一歩ですが、テクノロジーの力をもっと活用するうえでは、AIが普通の意味で多人数の

注1)
カーネギーメロン大学のJustine Cassell教授のグループがつくった、社会的状況に応じて異なる会話方略を取れる会話エージェント。

会話に参加して会話を発展可能にすることが大きなテーマです。

AIが多人数のコミュニケーションに対応するためには、どんな要件を満たさなければならないでしょうか。

人と会話しながら文脈や経験や知識を含む「コモングラウンド」を、AIが動的につくり上げ、みずから進行に応じて管理して利用する能力を持つ必要があります。

会話が円滑に進み、かつ、プロダクティブであるためには、各参加者が他者の持っている知識や経験、話の流れ、さらには心の動きまで推察しながら、その時々の会話の状況を判断し、文脈をつくりながら話を進めていかなければなりません。それがうまくいかないと、子どもと大人の会話のように、会話参加者のバックグラウンドが違いすぎて、会話はスムーズに進みません。

人とAIの会話も同じです。人が頭に浮かべる情景や言外の気持ちまでAIと共有できなければ、会話はメリットよりデメリットの大きなものとなってしまいます。

人間の知の汎用性はまだまだ強力であり、たとえ初対面同士であっても、相手がAIの場合より、仮定できるコモングラウンドははるかに大きいものです。同じ文化圏の人であれば、考え方や経験も多く共有されているので、話が滑らかに進みます。異なる文化圏の人でも、しばらく話しているうちに共有部分が見つかると、話が弾んでいきます。AIにも、このようなコモングラウンドの構築・管理・活用能力が必要です。

AIが初めからあらゆる面で優等生である必要はありません。人の言葉を理解せず、データ化して読み取り、最適に再現するだけのAIであっても、能力を少し拡張してコモングラウンドの基本的な管理をできるようにし、「その書類」といった指示語や、「私も食べた」などの省略表現、「はい」が肯定の返事なのか相づちなのかを区別できるようにするだけで、AIのコミュニケーション能力は格段に高まります。

すでに現在のAIはセンシング技術の向上により、言葉だけではなく、その背景にある生活のさまざまなシーンを取り込み、急速に豊かな表現が可能になっています。現在のAIの行動を動機づける簡単なメカニズムを組み込むことで、十分なレベルのコモングラウンドの構築・管理・活用能力を持ち、単なる真似ではなく、みずからの言葉の意味を理解して行動するAIを実現できる可能性はかなりあると思います。

将来的には、人の気持ちをAIが汲み取ることもできるようになるのでしょうか。

なるでしょう。人の言葉や行動パターンだけでなく、背景までデータとして取り込むことで、その言動に至った理由まで理解可能にすることが第一歩です。

ほかにも乗り越えるべきハードルはいくつかあります。最大の問題は、AIに人間と同様の身体性がない点です。AIに「頭が痛い」と話して、「そうですね、つらいですね」と返事をされたら、どう感じるでしょうか。「頭痛の経験などないはずのAIが口先だけでなぐさめを言っている」と思い、親しみの気持ちが消えてしまいます。

しかし、こうした限界も越えられないわけではなく、共通項を使った比喩的な理解を試みたり、「経験のない頭痛ならすぐ病院へ行きましょうか？」といったように、人の気持ちを汲み取った行動につなげたりするなど、いろいろなアプローチが考えられます。

人と人とのコミュニケーションをAIが思考の映像化で支援する

人とAIのコミュニケーションの前段階として、人と人とのコミュニケーションをAIが支援する使い方は考えられますか。

そのアプローチはとても有効だと思います。AIが独立した知性となるまでには、まだまだ越えなければならないハードルが数多くありますが、人と人とのコミュニケーションを何らかの形で支援するということであれば、不完全なＡＩでもいろいろ有用なサービスが可能です。

たとえば、Amazon.comなどで使われているレコメンデーション機能は、１９９０年代から研究開発が進められ、自分や他者の購入履歴や閲覧履歴、登録情報などから、各ユーザーの嗜好に合った商品を紹介するために広く使われてきました。人と人の会話を記録し、有用そうな部分を取り出し、必要に応じて言い換えを行って、その内容を求めている相手に伝える作業をＡＩが担うようになるだけで、人と人とのコミュニケーションはずいぶん強化されます。従来型のインターフェースのなかでもＡＩは人と人をつなぐ重要な技術であるといえます。

次のチャレンジは、ＡＩに人と人との間をとりなすような役割を担わせることです。人の気持ちを限定的にしか理解できないＡＩに軋轢や喧嘩をどう調停させるか。「感性アナライザ」（１３１ページ）のようなテクノロジーを使ってお互いの感情を可視化し、コミュニケーションを支援する方法が考えられます。いろいろな事柄について同じ感情を持っていることがわかれば、親近感が高まるかもしれません。他方、正反対の感情を持つことがわかれば、理解を深めるきっかけになるかもしれません。ただし、だれもが本心を相手に伝えたいとは限りません。使いたくない人は使わなくてもいいという選択肢は残しておくべきです。

あるいはもう少し論理的な次元で共有されていない事柄を、ＡＩが話者に代わって補い、表現や論理を整理して発言内容を整えることも考えられます。たとえば「うるさい！」と一喝したいところを、「自分の考えをまとめているところだから、もう少し時間をください」という発言に置き換えるといった技術を実現するだけで、日常のストレスはかなり軽減されるでしょう。

TOYOAKI NISHIDA

1977年、京都大学工学部卒業、79年、同大学院修士課程修了、93年、奈良先端科学技術大学院大学教授、99年、東京大学大学院工学系研究科教授、2001年、同大学院情報理工学系研究科教授を経て、2004年4月より京都大学大学院情報学研究科教授。2020年4月より福知山公立大学情報学部教授・学部長。AIとインタラクションの研究に従事。会話情報学を提唱。総務省「AIネットワーク社会推進会議」構成員、日本学術会議連携会員（2006年〜）、東京大学名誉教授、情報処理学会フェロー、電子情報通信学会フェロー。

人間同士のコモングラウンドを構築していくうえで、AIに期待される役割は何でしょう。

お互いの共通項や話の背景にある文脈を「見える化」して、人の外部記憶として活用できるようにしていくことです。人は相手の発言の意図や背景を、自分の経験とスキルによって想像しながら話のやり取りをしています。これらを見える化すれば理解が深まり、もっとスムーズにコミュニケーションが取れるようになるはずです。

現在取り組んでいるのは、発言している人の頭のなかのイメージを、即座に映像化する技術の開発です。「発言の根拠となる背景や経験を映像として瞬時に共有できるようにすれば、誤解は生じにくくなる」というのが基本的な発想です。たとえば、数人で山歩きについて話をしているとします。Aさんが「駒ヶ岳のこのルートは景色が最高」と紹介したら、実際にAさんがかつて見た景色が映像として現れます。Bさんが「でも危険なポイントもあるので注意」と話せば、Bさんがどんなポイントでどんな危険を感じたのか、Aさんに映像で示されるといったものです。

表示する映像は、ユーザーが自分で撮影したものや、インターネットで公開されている映像のなかから自分のイメージに近いものを取ってきます。こうした映像を、地図や気象情報といったデータベースと関連付けるともっとよくわかるでしょう。

しかし、ここがゴールではありません。「難しい」「楽しい」「おもしろい」などの抽象的な感覚を「見える化」するには、さらに高度な技術が求められます。「この人が楽しいと感じた体験」までは映像化できますが、それをなぜ楽しいと思うのか実感できる技術の開発はまだ先のことです。

そのような未来図から見ると、いまの人間同士の会話は共有すべき前提やブラックボックスの部分が多く、意外と非効率だと言えるかもしれません。

現状の私たちは、会話の前提となるコモングラウンドの確立に膨大な労力を要していると考えられます。頭のなかのイメージを会話でうまく構築できないばかりか、会話の核心に行き着くまでの労力が大きすぎて、疲れ果てて断念してしまうことも多くあります。私たちのコミュニケーションをそうした苦難から解放するために、今後、AIの果たす役割は大きいでしょう。

AIによって、人々が頭に描いたイメージをリアルタイムでクリアに映像化できるようになれば、コモングラウンドを構築・管理・活用するための労力を大幅に削減できます。そのことで、コミュニケーションを通じてより豊かになれる機会を、これまでよりはるかに得やすくなるでしょう。そして、人は未知のコミュニティに参加してさまざまな追体験をしたり、自分でコミュニティをつくって興味を映像化して仲間と討論したりすることで、学びや理解を深めていけるようになります。その実現に向けて、研究を進めているところです。

一方で、人と人とのコミュニケーションにAIが深く関わることに違和感を覚える人も少なくないと思います。

私たちの思考はコミュニケーションによって決まるといっても過言ではありません。コミュニケーションにAIが関わることによる影響はさらに深く、はるかに気づきにくいものになると思います。

では、情報化以前の原始的なコミュニケーションのほうがよかったかと問われれば、インターネットがなかった頃に私たちが知覚していた世界はひどく限定的であり、情報の仲介者によってひどく歪められていたように思います。ネガティブな側面をはっきり意識しつつ、AIを活用したほうがずっと大きなメリットを得られるはずです。

このような状況でカギとなるのは、種々のリテラシーが示唆する通り、まず「AI for Everybody」という原則の下、だれもがAIの恩恵を受けられるようにすることです。そのうえで、AIを使う・使わないの選択権を個人に委ね、選択の仕方について、知恵をつちかうことが大事です。

ＡＩの引き起こす変化で人間の存在意義が問われる

将来、ＡＩが人と人とのコミュニケーションを支援する時代が訪れた時、社会はどのような変化を見せるでしょうか。

インターネットのおかげで私たちは居場所を問わずに、コミュニティに参加したり、新たなコミュニティを築いたりすることが可能になりました。コミュニティの参加者の基盤となるコモングラウンドは、森羅万象のなかからコミュニティで共有されている価値に関係する事柄を取り出し、構造化したものです。コモングラウンドの構築・管理・活用がＡＩによって強力に実行できるようになれば、人は共有できる価値を見つけ出して発展させることに、今までより精を出すでしょう。無理やり人を組み込むコミュニティは解体され、自発的なコミュニティの形成が加速されると思います。

既存のコミュニティの解体はどのようなことに影響しますか。

教え合いと学び合いを通じて、共感を伴う共有知を発展させていく場としての純粋なコミュニティが増えていくと思います。当然、大学を頂点とした学びの構造も大きく変わるでしょう。現在、多くの人にとっての大学の存在意義は就職に役立つなど、制度的な側面が強いと思います。

しかし今後、大量生産されてきた知がＡＩによって代替されるようになると、専門分野に特化したスペシャリストが社会から求められるようになります。結局のところ、知を突き詰める場として、本来の大学の姿に戻っていくことになると思います。

その時の人の役割はどのようなものになるでしょうか。

私はＡＩを「人間の知恵を実行可能にしたもの」だと考えています。人間の知恵は、人間が世界のなかで見出した意味を束ね、社会を形成して意義のある生き方ができるようにするために、さまざまな試行錯誤の末につくり出したものです。

コンピュータが登場するまで、集積された知恵を行使できるのは人間だけでした。ところがＩｏＴの広がりにより、人がいなくても知恵を実行できるようになりました。そして、ＡＩが知恵を獲得・集積し、人の知恵を超えるようになるにしたがって、ＡＩが正しく、人間は正される側に立つようになりつつあるのが現在です。

こうした動きは囲碁や将棋のような競技の世界を超え、科学技術やビジネスの領域にも広がってきています。一時「グーグル先生」という言葉が流行りましたが、いまやＡＩは人に物事を教える先生に留まらず、人間よりはるかに高い精度で大量の専門的な業務をこなすスーパーパーソンになりつつあります。

こうなってくると、これまでのように人の存在意義を、普遍的なタスクの遂行能力に求めることは難しいでしょう。じきにＡＩが、普遍的なタスクとして厳密に定義された作業を人に取って代わって行うようになることは容易に想像できます。さらに、厳密に定義されていないタスクについても、ＡＩがうまくこなす方法を見つけ出すようになるでしょう。サービスを受ける側からすれば、その品質が主要な関心事となり、倫理的な問題を含まない限り、実現方法については副次的な事柄になります。

人の存在意義は、個としての存在に集約されていくと思います。唯一無二の体を通して経験した喜びや悲しみ、築かれた思いは、自分にとっても他者にとっても、かけがえのない価値があります。

ＡＩの力を借りてコモングラウンドを築くことで、その価値を他者と共有し、コミュニティとして発展させていくことになるでしょう。そこでは人と人とのつながりは、功利的なものではなく、共感によるものになるはずです。 P

東京大学 先端科学技術研究センター 教授

稲見昌彦

MASAHIKO INAMI

聞き手｜三菱総合研究所 未来構想センター シニアプロデューサー 藤本敦也
三菱総合研究所 経営イノベーション本部 研究員 濱谷櫻子
写真｜黒澤宏明　構成・まとめ｜鷺島鈴香

AI、VR、ARのある暮らしが人と社会のすべてを変える

身体を情報システムとして理解し、設計する「身体情報学」のフロントランナー、東京大学教授の稲見昌彦氏。最新のテクノロジーを使って身体能力を拡張し、年齢や障害などの身体差や人間本来の身体能力を超えて競い合う「超人スポーツ」の提唱者としても知られている。人間拡張技術による人とテクノロジーの融合は、人のアイデンティティ、人と人との関係、社会にどのような未来をもたらすのだろうか。

AIと人の一体化がスタンダードに

近年、AIやVR技術の進化がめざましいですが、人間拡張の現状をどのように捉えていますか。

サイボーグの概念が提唱されてから今年で60周年を迎えます。サイボーグという言葉が生まれた当時、人間拡張は「人工的な臓器を肉体に埋め込む」といった物理的な視点で考えられていました。つまりは「フィジカルサイボーグ」です。しかし現在は、人を情報的に拡張・支援しようという動きのほうが強い。こうした新しい情報支援のあり方を、私は「ディジタルサイボーグ」と呼んでいます。情報革命でソサエティ5・0の世界が実現すると、人間拡張技術は新しい広がりを見せるでしょう。すでに実現しているブレイン・マシン・インターフェース（BMI）、ウエアラブルデバイス、モーションキャプチャーといった技術はその一助となるはずです。

こうした技術は「ゲーム的なもの」と捉えられがちですが、たとえば、バーチャル空間、物理的な空間を問わず、自分自身のアバターをつくれるようになったことは、人の身体性を変える大きな出来事です。これは、いままで心と身体が不可分な関係であったのが切り離せるようになったということです。つまり、物理的な身体とは別に、ロボットのアバターが遠隔地にいて、情報的なアバターはネットワークのなかにいる、といった存在の仕方が可能になりました。

一つの心に一つの身体が対応するのではなく、一人が複数のアバターを使ったり、逆に複数人で一つのアバターを使ったりすることができるようになったわけです。当然、人と人との関係性も変わるはずです。

人と人だけでなく、人とコンピュータの関係性も変わってきそうですね。

他者であったコンピュータが自己に取り込まれていくことになると思います。かつてはインタラクティブコンピュータという言葉があり、日本語で「対話型コンピュータ」と訳されていました。『2001年宇宙の旅』に登場したHAL9000（AI

を搭載したコンピュータ）のように、人とコンピュータが自然言語を使って対話をしたり、キーボードでチャットをしたりする、それがこれまでイメージされてきた人とコンピュータの関係性でした。あくまでもコンピュータは他者であり、自然な対話や操作ができる相手だったわけです。

ところが、人とコンピュータが高速でつながるようになると、その関係性が根本的に変わる可能性が出てきます。やまびこは、声が返ってくるまで時間差があるため、他者の声のように感じますが、発声と同時に返ってきたら、自分の声として感じるはずです。一般に聴覚や触覚であれば200ミリ秒以内の速さで応答があると、自分のものとして認識します。

ただ、情報伝達のスピードには限界があります。いくら5Gが普及しても、我々は光の速さを越えられません。そうでなくても、格闘ゲームの世界においてはよく、「地球は大きすぎる」「光は遅すぎる」といわれます。どういうことかと言えば、格闘ゲームのプレイヤーはおよそ60分の1秒単位で戦略を練っていますが、その間に、光は日本からインドネシアくらいまでしか到達できません。人の戦略に光が追いつかないのです。

では、どうやってこの時間差を解消するか。その一つの方法が予測です。人間の行動をAIに機械学習させ、ジャンプや歩行などの動作なら0・5秒先の動きを予測する研究があります。たとえば、そのような予測技術を使ってバーチャルなインタラクションを形成することで、光の速さを超えたかのような体験を構築できます。人の動きの支援についても、パワーアシストだけでなく、転ぶ前に動きを予測して手を差し伸べる、人にぶつかる前に注意を促すといった方法も考えられます。こうした予測機能がすでにうまく実用化されている例が、スマートフォンやパソコンの予測変換や予測入力です。いまのところテキストベースですが、やがて画像や動画、音声、触覚的なものにまで応用されていくでしょう。

学習方法についても、これからは人と機械が一体となりながら相互学習していくことになると思います。AI同士で競いながら学ぶいわゆる「敵対的生成ネットワーク（GAN）」は、一つのAIが本物に似せたレプリカなどを生成し、その真偽を別のAIが識別することを繰り返して、成長していきます。この識別する側を人間が行うことで、人の識別能力を高めるような応用も考えられます。その人に適合した形で、学習を人機一体でやっていくことで、習得スピードがさらに高速化するはずです。

いつまでもAIを文字通りの「アーティフィシャル・インテリジェンス（人工知能）」にとどめておくべきではありません。ARの概念が「アーティフィシャル・リアリティ（人工現実感）」から「オーグメンテッド・リアリティ（拡張現実感）」に変わってきたように、AIも「オーグメンテッド・インテリジェンス」を目指して人間拡張の見地から開発を進めていくべきです。

AIが変える人間らしさ

人とAIが一体化していくと、その境界線も曖昧になっていきそうです。

人間拡張型のAIによって、人のありようが変化するのは間違いないでしょう。個性を考えるうえで大事なのは「人間」という言葉の「人」ではなく、「間」のほうです。クローン人間を想像してみてください。初期のDNAは同じでも、与える情報や経験が違えば、同じ人格にはなりません。社会との相互作用の総和こそが、その人らしさをもたらします。

技術的に本人と周囲とのやり取りを、AIがすべて記録できるようになれば、たとえば認知機能が衰えた場合に、本人や法定代理人よりも、AIのほうが信頼できるエージェントになるでしょう。死後もインタラクションの部分は残せるようになって、本人らしい受け答えをしてくれるはずです。

また、部下に仕事を頼むよりも、自分の分身であるＡＩに頼んだほうが、気心も能力も知れていいパートナーになるかもしれません。頭のなかに描いた人物をＡＩに可視化してもらい、自分同士で議論するようなことも、やがて実現すると思います。

　こうなってくると、自分の分身のＡＩが自分を支援することになり、どこまでが自分で、どこからがＡＩなのか、境界線がぼやけてくることは確かです。もっとも、私たちの世代は小さい頃のインタラクションの記録が残っていないため、自分自身を完全にコピーすることはできないでしょう。

ＶＲ技術などが孤立や孤独をもたらすと考える人もいますが、いかがですか。

一概にはそう言えません。ＶＲは、距離や時間を越えてつながる手段です。一方、身体的な移動には物理的なエネルギーやコストがかかります。これからはお年寄りが病院の近くに住みながら、自分が属していた遠く離れたコミュニティには、アバターを通して交流するといったことも可能になります。

　ビジネスにおいても、身体の役目はどんどん失われていくでしょう。最初の出会いでは信頼を深めるために飲食を共にするなど、リアルなコミュニケーションが重視されるかもしれませんが、それ以降は身体性や存在感を実現できるシステムにより、直接会う必要がなくなります。

　それに伴って、交通機関の利用なども減っていくでしょう。物理的な移動が必要になるのは身体のケアのためか、コストをかける価値のある時に限られます。旅や冒険、時には相手のもとに謝罪に出向くなど、心を動かすことが目的の時だけです。将来「真心」という言葉が「自分や相手の心を動かすため心身一体で移動すること」を意味するようになるのかもしれません。

MASAHIKO INAMI

1999年、東京大学大学院工学系研究科博士課程修了。東京大学リサーチアソシエイト、同大学助手、JSTさきがけ研究者、電気通信大学知能機械工学科講師、同大学助教授、同大学教授、マサチューセッツ工科大学コンピュータ科学・人工知能研究所客員科学者、慶應義塾大学大学院メディアデザイン研究科教授等を経て、2016年、東京大学先端科学技術研究センター教授。2017年、ERATO稲見自在化身体プロジェクト研究総括。2018年、東京大学バーチャルリアリティ教育研究センター応用展開部門長。光学迷彩、触覚拡張装置、動体視力増強装置など、人間拡張技術を各種開発。米TIME誌Coolest Invention of the Year、文部科学大臣表彰若手科学者賞などを受賞。超人スポーツ協会発起人・共同代表。著書に『スーパーヒューマン誕生! ―人間はSFを超える』(NHK出版)がある。

身体的な移動や他者との直接的なコミュニケーションの機会が減ると、どんなことが起こりえますか。

いまはまだ属している家庭や地域、本人の性別や年齢など、物理的なカテゴリがその人の立場や個性に大きく影響しています。しかし、アバターでは地理的な制約を受けません。性別や年齢といった肉体的・外見的要素も好きに変えられます。その結果、その人の意識や知恵、価値観がより重要な意味を持つようになります。SNS上で、そうとは知らずに大人と子どもが対等に話をしているようなことは、現在も起きているはずです。

また服や髪形を変えれば、気分も変わるように、アバターにどのような設定を与えるかで、少なからず本人の心にも影響が出るでしょう。

そうなると、自分らしさとは何かも考え直す必要が出てきます。生身の自分に表れているものが「らしさ」なのか、それともアバターや社会の一員としての自分のほうなのかという問いです。

私は近視で、眼鏡を外すと行動が制限されるため、裸眼の状態が自分の本体だと言われると困ってしまいます。このような考えを推し進めていくと、未来社会の本人らしさは、アバターを介した他者との関係性のなかにこそあるように思います。

では、コミュニケーションの取り方はどのように変わっていくでしょうか。

現在、私が考える未来のコミュニケーションは、「対話型」「共通体験型」「変身型」「身体共有型」の4つです。

対話型は、一般的なコミュニケーション方法です。共通体験型も、一緒に映画を観るなど、すでに行われているものです。一方、変身型は、たとえばVRチャットで、男性がかわいい女性に変身して、女性の立場で物事を体験することで、理解を深めるものです。相手の立場になって、相手のインタラクションを身にまとう、コミュニケーション方法です。最後の身体共有型は、複数の人が同じアバターを使って何かに取り組み、お互いの絆を深めるものです。たくさんの人と一緒に神輿を担ぐような経験が気軽に行えるようになるでしょう。

人間拡張技術の進展に伴い、ほかにも新しいコミュニケーション方法が数多く生まれてくると思います。

生物の境界を超えた拡張はありえますか。

当大学の研究室の学生が「植物に変身する」疑似体験プログラムをつくったところ、植物学の先生方にも好評でした。植物から見た時間変化が体験でき、人から見るとじっとしているようでも、植物の世界では時計の針が動いていて、競争のあることが体感できます。このようにほかの生き物に乗り移って変身する体験ができれば、自然や世界の見方も大きく変わってくるでしょう。

二極化しても チャンスのある社会

人間拡張によって、社会の断絶や格差はなくなりますか、それとも広がりますか。

情報技術が普及すると、富がより集中して、社会の二極化がさらに進む可能性が高いでしょう。すでに、動画投稿サイトやSNSを使いこなし、本業とは別に莫大な収入を得ている人がいるのはご存じの通りです。そして、人間拡張によって格差を生むのは資本財としての自分の分身の数かもしれません。その頃には、新しい資本となる分身の価値を認知させ、どれだけ数を増やして稼がせるかが勝敗の分かれ目になります。いわば、分身AI資本主義社会です。

ただ、AI資本主義で生まれる格差は、さほど固定的ではありません。人間が社会的動物である限り、格差のある集団ができてしまうのは避けられませんが、AI資本主義社会では、新たな価値をつくるチャンスは基本的に平等です。新たな意味を生み出し、価値を与え、それを分身AIで増幅する仕組みをつくることができれば、いくらでも価値の山をつくることができます。

格差を逆転しやすい社会になるということですね。そうした社会で、弱者となるのはどんな人でしょうか。

格差の意味が変化すると考えます。農業革命では身体能力で格差が生まれました。産業革命では、身体能力の優位性が薄れ、機械を扱える学習能力やメンタルが要求されるようになりました。それ以降、今日まで、知識的価値をいかに自分の頭にコピーするかが重視されてきました。

しかし、現在進行している情報革命では、知識のコピーはＡＩが担うため、すでにある知識を覚える力ではなく、新しいものをつくり出して広める能力が勝負を決することになるでしょう。つまり、求められるのはオリジナリティです。ただし、とっぴなものを生み出す独自性というより、既存のものと差異をつけて拡散していく「源流性」が重要です。だれも登らないような孤立した山をつくっても意味がありません。独創性があっても、拡散できなければ、異端で終わります。かといって、差異を生み出せなければ、マジョリティではあるものの、弱者となってしまいます。

人とまったく同じではいけない。でも、まったく違っていてもいけない。マイノリティでありながら、異なる分野のマイノリティをつなげ、拡散できるような差異をどう生み出せるかでしょう。拡散という面で、ＳＮＳなどでだれとつながっているかも、より大切になってくるでしょう。

一方で、人間拡張技術の進展により他者を知りすぎることで、個性が均質化していく可能性はありませんか。

海外を訪ねると、日本の長所や欠点がはっきり感じられます。考え方の違いや背景もより理解できます。そう考えると、他者を知ることが均一化に結びつくとは思いません。むしろ自らの特徴に気づかないまま自己規定してしまい、考えやシステムが凝り固まってしまうほうが心配です。それは情報的な死を意味します。それを防ぐ教育や教養が必要です。

どのような教育が必要でしょうか。

これまで教育や教養は学問としての追究や、偏差値の高い大学やいい会社に入るための手段でもありました。しかし、今後の役割は閉鎖的なネット空間に同意見の人が集まることで思想が凝り固まることを防ぐ、異なることや現在興味のないことに魅力を感じる、つまり人とは異なる好奇心、現代の「数奇」を育む方向によりシフトしていくかもしれません。

もちろん従来と同様に語学や数学、物理など、文化を越えてコミュニケーションできる学問が重要視されます。そして、学び方を学ぶ「メタ学習」の重要性は不変です。技術の進化のスピードが速い時代においては、なおさら学び続ける能力は不可欠です。

日本社会ならではの人間拡張技術との付き合い方や、発展の可能性はありますか。

特に欧州では、テクノロジーによる支援や失った能力の補填は許容されますが、人間の能力のエンハンスメント（強化）に対しては抵抗感が強いようです。人間の能力は神が与えた個性という思いが根底にあるのかもしれません。一方、日本では、そういう感覚を持つ人はあまりいません。ヒューマニティに関する議論が前提条件としては起きず、よくも悪くも能天気に「まずはやってみよう」となります。テクノロジーの進化という面では、大きなメリットです。諸外国と同じ価値観、グローバルアジェンダで進める必要はないと思います。

もちろん、最終的にグローバル展開する際には、そうした視点も必要になりますが、和食のように、日本ならではの個性がなければ、海外から価値を認めてもらえません。場合によっては、物理的開国を維持しつつ、情報的鎖国が部分的に必要かもしれません。一方で、世界に完全に開かれた状態で、各国のいろいろなものを真似しようとして自然と生まれる差こそが、日本としての個性になるとも信じています。 P

Phronesis
「フロネシス」とは何か

「フロネシス」は、古代ギリシアの哲学者アリストテレスが『ニコマコス倫理学』(岩波文庫)のなかで提唱した概念で、「人間が善く生きるための実践知」を意味する。

学問や技術がいかに発達しようとも、幸福な人生や社会を実現できるとは限らない。フロネシスは、この大きな目的を追求するための知であり、当時のポリス(都市国家)における市民リーダー層のためのものであった。

近代以降、知識は爆発的に増大し、人々の生活に大きな便益をもたらした。しかし近年、その限界や弊害も目立つようになった。我々は、21世紀にふさわしいフロネシスの「発見」あるいは「創造」に迫られているのではないだろうか。

未来読本『フロネシス』は、21世紀のフロネシスには、次の3つの特徴が備わっている必要があると考える。

第1が、「共創の知」である。利害や立場を超え、専門性を横断し、個人と社会に共通する善(common good)を追求する。

第2は、「未来の知」である。望ましい未来を構想したランドスケープ、その実現に向けたビジョンや戦略、道筋を導き出す。

そして第3に、「行動の知」が求められる。未来萌芽的な事例の紹介や、既存の常識にとらわれない手法の提案などにより、具体的なヒントを提供する。

以上、3つの知をもって、現代のフロネシスを発見・創造していくことを編集方針とする。

PHRONESIS

22号
フロネシス　13番目の人類

Volume 12 Number 1
2020年4月8日　第1刷発行

編著者|三菱総合研究所
編集顧問|小宮山宏
編集協力|岩崎卓也、飯野実成
発行所|ダイヤモンド社
〒150-8409 東京都渋谷区神宮前6-12-17
http://www.diamond.co.jp/
03-5778-7220(編集)|03-5778-7240(販売)

ブックデザイン|DESIGN WORKSHOP JIN(遠藤陽一、井上由香、高岩美智、中村沙蘭)
執筆協力|上田理恵、小寺賢一、小林直美、小松崎毅、鷺島鈴香、瀧口範子、
中川生馬、二階堂尚、三浦顕子、山際貴子、渡部典子
表紙イラスト|目黒ケイ
本文イラスト|中村隆、モトムラタツヒコ
写真|朝倉祐三子、貝原弘次、黒澤宏昭、田中研二、中川道夫、鍋島明子、まくらあさみ(KATT)
校正|ディクション
製作進行|ダイヤモンド・グラフィック社
印刷|勇進印刷(本文)、加藤文明社(表紙)
製本|ブックアート
編集担当|音和省一郎

ISBN 978-4-478-10988-5